À PROPOS D'ESTHER ROCHON

LE RÊVEUR DANS LA CITADELLE

DU MÊME AUTEUR

Coquillage. Roman.
  Montréal : La pleine lune, 1986.
Le Traversier. Recueil.
  Montréal : La pleine lune, 1987.
Le Piège à souvenirs. Recueil.
  Montréal : La pleine lune, 1991.
L'Ombre et le cheval. Roman.
  Montréal : Paulines, Jeunesse-pop 78, 1992.

LE CYCLE DE VRÉNALIK

• *En hommage aux araignées*. Roman.
  Montréal : L'Actuelle, 1974.
    Repris sous le titre :
    • *L'Étranger sous la ville*. Roman.
      Montréal : Paulines, Jeunesse-pop 56, 1987.

• *L'Épuisement du soleil*. Roman.
  Longueuil : Le Préambule, Chroniques du futur 8, 1985.
    Repris sous les titres :
    • *Le Rêveur dans la citadelle*. Roman.
      Beauport : Alire, Romans 013, 1998.
    • *L'Archipel noir*. Roman.
      (À paraître chez Alire en 1999.)

• *L'Espace du diamant*. Roman.
  Montréal : La pleine lune, 1990.

LES CHRONIQUES INFERNALES

• *Lame*. Roman.
  Montréal : Québec/Amérique, Sextant 9, 1995.
• *Aboli*. Roman.
  Beauport : Alire, Romans 002, 1996.
• *Ouverture*. Roman.
  Beauport : Alire, Romans 007, 1997.
• *Secrets*. Roman.
  Beauport : Alire, Romans 014, 1998.

LE RÊVEUR DANS LA CITADELLE

ESTHER ROCHON

Données de catalogage avant publication (Canada)

Rochon, Esther, 1948–

    Le Rêveur dans la Citadelle

    (Romans ; 013)

    ISBN 2-922145-15-8

    I. Titre.

PS8585.O382R48 1998   C843'.54   C98-940211-8
PS9585.O382R48 1998
PQ3919.2.R62R48 1998

Illustration de couverture
GUY ENGLAND

Photographie
ROBERT LALIBERTÉ

Diffusion et Distribution pour le Canada
Québec Livres

Pour toute information supplémentaire
LES ÉDITIONS ALIRE INC.
C. P. 67, Succ. B, Québec (Qc) Canada G1K 7A1
Télécopieur : 418-667-5348
Courrier électronique : alire@alire.com
Internet : www.alire.com

Dépôt légal : 1er trimestre 1998
Bibliothèque nationale du Québec
Bibliothèque nationale du Canada

Les Éditions Alire inc. bénéficient des programmes d'aide à l'édition
du Conseil des Arts du Canada (CAC) et de la Société de
développement des entreprises culturelles du Québec (SODEC)

10 9 8 7 6 5 4 3 2e MILLE

TABLE DES MATIÈRES

Repères bibliographiques

1977 Une version sensiblement plus courte est parue en Allemagne chez Wilhelm Heyne Verlag sous le titre *Der Träumer in der Zitadelle*.

1979 La revue *imagine...* a publié en feuilleton la version courte du présent roman.

1985 Les éditions du Préambule ont intégré, dans le roman *L'Épuisement du soleil,* quatre des six chapitres ici présentés.

1997 Les chapitres intitulés « La messagère » et « La statue » sont inédits ; l'ensemble du présent livre constitue donc la première version complète du *Rêveur dans la Citadelle*.

LA PORTE DU TEMPLE

Il entra. Dehors c'était brumeux, ici c'était enfumé. Dehors la lumière était bleue, ici elle était jaune. Il y avait des tables brunes, presque toutes occupées. On parlait fort. À droite, c'était le bar ; au fond, la cuisine. À gauche, près de la fenêtre, on avait placé une petite table pour deux. Une jeune femme s'y trouvait assise. En face d'elle, le banc était libre.

—Eh bien, ce sera elle, se dit-il.

Il s'approcha, demandant du regard si la place était réservée. Elle fit signe que non. Il s'assit.

Il sortit des poches profondes de son manteau tout l'argent qui lui restait, le mit sur la table.

—Je voudrais manger et passer la nuit ici.

Elle compta les pièces, lui en rendit quelques-unes.

—Tu peux te payer un repas, mais pas de lit.

Cette réponse le prenait par surprise. La vie était vraiment plus chère ici qu'à l'île de Vrend. Peu importe.

Il repoussa vers elle les pièces qu'elle lui avait rendues.

—J'aimerais que tu restes ici pendant mon repas et un peu après. Je voudrais te parler.

Elle sembla étonnée, mais pas autant qu'il l'aurait craint. Elle se leva, empocha l'argent, prit l'assiette qui se trouvait en face de lui pour la remplir à la cuisine. Pendant qu'il était seul, il regarda par la fenêtre ; on voyait à peine au travers. La nuit tombait. De l'autre côté de la rue, c'étaient les quais. La silhouette du bateau d'en face emplissait et noircissait son champ de vision.

Elle revint, portant une assiette pleine, un verre et une cruche de terre cuite. La cruche contenait un liquide savonneux. De la bière. Il n'en avait pas bu depuis un quart de siècle. Il se rappela sa jeunesse et sourit. La jeune femme le regarda et sourit un peu, par politesse.

—Tu es de Frulken ? demanda-t-il.

Elle hocha la tête.

—Je suis née tout près d'ici. Toi, d'où viens-tu ?

—De l'île de Vrend. Je suis arrivé ce matin.

—Tu aimes la capitale ?

—Non.

Cela mit un froid. Il regarda ce qu'on lui donnait à manger. Des fèves, avec des morceaux de lard. Du lard. Le cœur lui leva. On voulait le rendre complice de la mort d'un animal sans lui demander son avis. Ces gens étaient des barbares. Il se mit à manger, en laissant soigneusement le lard de côté. Ce n'était pas bon, mais il avait faim. Il se sentait observé par sa compagne. Il s'étouffa une fois.

Quand il eut fini, il s'essuya la bouche, intimidé. Un guitariste s'était mis à jouer. Les clients chantaient, reprenant en chœur des refrains.

— Tu ne connais pas d'endroit où on pourrait être plus tranquille ? demanda-t-il.

Elle interrompit le rythme que marquaient ses doigts pour répondre :

— Comment ? Pourquoi donc ? D'ailleurs, tu n'as plus d'argent.

Il cria dans le tapage :

— Pas pour coucher ensemble. Pour parler.

À ce moment, la musique arrêta.

— Eh bien, parle, dit-elle.

La proximité de tant d'êtres humains le troublait, lui qui avait passé vingt-cinq ans sans presque jamais en voir. Il faudrait donc qu'il raconte son histoire en présence de cette foule. Le soir rêvé depuis longtemps était arrivé, mais il n'avait pas prévu que ses paroles se mêleraient à celles d'une centaine de personnes, et que celle à qui il s'adressait cherchait déjà dans la salle son prochain compagnon. Qu'elle l'écoute ou non, elle serait la seule à l'entendre. Qu'elle l'écoute ou non, le moment était solennel.

— Tout d'abord, dit-il, je voudrais connaître ton nom.

Elle le regarda ; ses yeux étaient bleu pâle, fardés de noir.

— Je m'appelle Trinit-Tayinn. Et toi ?

Il ouvrit les mains, avec l'impression réconfortante d'accomplir un rituel :

— Mon nom est sans importance. Je suis un instrument dont on se sert depuis vingt-cinq ans.

C'est en tant qu'instrument d'un autre que je parle ce soir. Cet autre, c'est l'Océan-Haztlén, la mer qui nous entoure.

Elle se regardait les ongles. Ils étaient bien taillés, peints avec attention. Il continua :

—Sur l'île de Vrend se trouve un temple consacré à Haztlén. Je crois qu'il est célèbre par tout l'Archipel : un temple, avec une statue de pierre verte à l'intérieur. La pierre vient de Drahal.

—Le temple de Haztlén ? Il y a une légende, n'est-ce pas ? La statue sculptée par un aveugle, ou quelque chose du genre... Ma grand-mère, ou peut-être ma tante, m'en a parlé quand j'étais petite. Une voisine nous menait à la plage tous les ans, pour la fête de Haztlén. Elle nous montrait un caillou qu'un de ses grands-parents, je crois, avait ramené du rivage aux abords du temple. Il était censé posséder certains pouvoirs.

Une statue sculptée par un aveugle, un caillou miraculeux, quoi encore ! Légendes, superstitions, bêtises ! Il vida son verre et s'en versa un autre.

Trinit-Tayinn le regardait avec curiosité.

—Ce temple existe-t-il encore ? demanda-t-elle.

Il sursauta : pourquoi arriver si vite au cœur du sujet ?

—Oui, mais il est fermé, répondit-il.

—Je suppose qu'il n'y avait plus beaucoup de visiteurs.

—En effet.

—On n'a plus tellement envie d'aller se promener à l'île de Vrend ramasser des cailloux sur la plage. C'était bon pour l'ancien temps.

—Mais oui.

Il y eut un silence. Il le rompit.

—Eh bien, c'est justement ce que je voulais te dire. Au cas où il resterait encore des gens qui veuillent aller au temple de Haztlén, inutile de faire le voyage. Le temple est fermé.

—Ah, je suppose qu'on t'a envoyé ici pour en avertir le gouvernement, ou une institution religieuse – laquelle au juste?

—Du tout. C'est à toi que je m'adresse, à toi seule, prise au hasard. Les officiels ne seraient pas plus concernés que toi.

Le souvenir de ces vingt-cinq années s'abattit sur lui. Tailler les blocs de pierre, les traîner sur la grève, les polir, les ajuster. Reprendre le travail. La fatigue, la pluie, la solitude.

Il sentit un courant d'air dans son dos. La porte venait de s'ouvrir. Un groupe de jeunes gens entra. Trinit-Tayinn leur envoya la main. L'un d'entre eux s'approcha de la table, embrassa la jeune femme sur la joue.

—Alors, qu'est-ce que tu deviens?

—Ça va, et toi?

Il les entendit échanger des banalités pendant quelques minutes, après quoi Trinit-Tayinn se tourna vers lui, ajustant sa coiffure.

—Peu importe si tu m'écoutes, dit-il, mon œuvre est accomplie. Le temple est inaccessible et c'est moi qui l'ai rendu tel. Moi et moi seul. Avec l'aide du dieu Haztlén. Le temple est à l'intérieur d'une grotte, continua-t-il sans laisser le temps à Trinit-Tayinn de réagir à ce qu'il avait dit, d'une grotte au bord de la mer. J'en ai bouché l'entrée. J'ai effacé les sentiers qui y menaient.

J'ai détruit tous les points de repère possibles. J'ai découragé les rares pèlerins qui s'y rendaient : « Non, le temple n'est pas ici. Plus loin, sans doute. » J'ai travaillé pendant vingt-cinq ans.

Elle le regardait, la bouche entrouverte, trop étonnée pour réfléchir.

—J'ai travaillé dans le froid, dans la neige, sous la pluie. Je dormais dans l'entrée du temple. Je me nourrissais de racines, de fruits. L'été, je devais perdre du temps à cultiver un potager ; l'hiver, j'en perdais à monter à la ville acheter ce dont j'avais besoin. Si je ménageais mes forces, c'était uniquement pour m'assurer que je pourrais terminer mon entreprise. L'entrée du temple avait une largeur de douze pieds ; d'ici à cette colonne, là-bas. Et huit pieds de haut ; à peu près comme cette pièce. Cette entrée, j'ai dû la boucher de façon que le mur nouvellement construit se confonde avec le reste de la falaise. Je m'y suis repris à cinq fois. Quatre fois, j'ai démoli, pour recommencer. Tailler les blocs de pierre, les traîner sur la grève, souvent de nuit. Ensuite polir, pour que l'ajustement soit parfait. Passer des hivers entiers à polir. Empiler les blocs en croyant que l'on aura bientôt fini, qu'on pourra partir, faire autre chose, et se rendre compte, quand tout est en place, à quatre reprises se rendre compte que le résultat n'est pas satisfaisant. J'ai pleuré, parfois. Puis je démantelais et je recommençais. Vingt cinq ans y ont passé. Il y avait beaucoup de joie dans la haine qui me poussait à agir. La colère d'un dieu qu'on est en train d'oublier s'exprimait à travers moi.

Je n'étais pourtant pas un de ses prêtres. Je ne sais même pas lire ! Je ne connais aucune prière. J'étais serviteur des prêtres au temps où il en restait encore quelques-uns. Des vieillards. Je leur faisais la cuisine. Je lavais leur linge. Ils ne me permettaient pas de pénétrer jusqu'au fond du temple. C'est tout juste s'ils m'adressaient la parole. Ils sont morts de vieillesse. Peut-être aurais-je dû partir alors.

J'avais ton âge. J'aurais pu courir le monde. Je suis resté. J'ai entrepris cette tâche. Je ne savais pas dans quoi je m'engageais. C'était un jeu, au début. Guetter les visiteurs : « Non, le temple n'est pas ici. » Les voir rebrousser chemin sans insister. Qu'étaient-ils venus chercher ? Un caillou miraculeux qui guérirait leur arthrite ou leur ferait gagner le gros lot ?

Je restais seul. L'Océan-Haztlén s'étendait jusqu'à l'horizon. Je vivais aux abords du temple destiné à le célébrer. Ce lieu, aménagé par la main humaine, décoré avec un goût humain, je le voyais lentement passer à l'état sauvage. Les tentures brodées commençaient à pourrir. Les ex-voto de la cour étaient rongés par le sel et redevenaient de simples morceaux de bois. La trace de l'homme s'effaçait. Je joignis mon travail à celui des éléments.

Ce temple était sans porte. Je lui en construisis une, de la façon que je t'ai dite. Nul homme ne peut l'ouvrir. Seul le dieu, au jour qu'il aura choisi.

Il redevint conscient de la salle où il se trouvait. La fumée était si dense qu'elle faisait des volutes près des poutres du plafond. Il n'osa pas regarder la jeune femme.

Le pichet de bière était vide. C'était l'heure de partir.

—Ce que je viens de te dire, je ne le répéterai pas, conclut-il. Tu es responsable de la transmission de ce savoir. Pour le moment, tu n'en vois pas l'importance. Cependant, dans quelques dizaines d'années, on commencera à se demander ce qu'il est advenu du temple. Ce sera comme un vide qui se fait sentir petit à petit. Il sera trop tard pour le combler ; tout au moins pourras-tu expliquer sa cause. Tu mettras ton plus beau châle...

À ce moment, il regarda Trinit-Tayinn, il vit qu'elle était très belle. Le visage ovale, les yeux en amande, la peau d'une grande finesse. Une sensualité extrême. Elle était posée devant lui comme un objet précieux. Des fils d'or luisaient dans son châle. Son regard était dur, comme celui de la statue de pierre verte qu'il était allé voir une nuit au plus profond du temple.

—Tu mettras ton plus beau châle, reprit-il. Ce sera peut-être celui-ci. Tu te présenteras au siège du gouvernement. Tu parleras devant l'assemblée. Tous t'écouteront, tandis que tu leur diras ce que je t'ai appris.

La chaise fit du bruit quand il se leva. Avant de sortir, il jeta un dernier regard à Trinit-Tayinn, à la salle qu'il allait quitter. Tout était terminé. Il ne lui restait plus rien à faire.

La nuit était froide. L'hiver s'annonçait tôt, cette année. « Je n'ai plus d'argent, je ne connais personne, songea-t-il. Ma ceinture est en cuir solide. Si je n'ai pas trouvé d'emploi quand la faim ou le froid deviendront désagréables, je pourrai toujours me pendre. »

LA MESSAGÈRE

Il est entré à la taverne un soir d'automne.
Assis en face de moi, il m'a raconté son histoire
de statue de Haztlén. Je n'y ai cru qu'à moitié, au
premier abord. Il l'avait peut-être déjà contée à
une douzaines de jolies demoiselles, en les regardant droit dans les yeux pour faire croire à chacune qu'elle était l'unique élue pour l'entendre.
Et que sur elle reposerait désormais la responsa-
bilité de la transmettre !

Le type était sans doute impuissant, ou lié par
un quelconque vœu de chasteté. Il était devenu
mégalomane pour compenser. À moins qu'il ne
fût du genre timide, qui explose en divagations
embarrassantes une fois ou deux dans sa vie. À
l'époque, j'aimais ironiser sur les gens que je
rencontrais. Je pouvais me le permettre : j'étais
jeune et belle.

Par contre, il avait du style, ce fermeur de
portes. Les hommes intenses, ça m'a toujours fait
de l'effet. Dans quel lit ou sur quel trône d'amour
peut-on se retrouver avec eux ? Tant qu'on n'a pas
essayé...

Il était beau parce qu'il était tellement fermé. Tout d'une pièce, ce constructeur de murs. Sans faille, ce bâtisseur de barrières. Une sorte de moine enragé. Enfermée, sa rage. Enclose, impossible à désamorcer. Un fou dans son genre peut me séduire. Davantage que mes clients habituels.

D'entrée de jeu, donc, je me suis dit que je la transmettrais un jour, son histoire, selon son désir, peu importe si elle était vraie ou fausse. Dans un futur éloigné, vaporeux, j'irais trouver mes anciens admirateurs pour leur parler d'une statue. Mes amoureux, dont certains commençaient à bien se placer au gouvernement, louaient mon sens de la fantaisie. Le constructeur de la porte n'aurait pas su les émouvoir lui-même : il était très grave, donc trop fou à leurs yeux. Tandis que moi, j'étais leur mascotte. Nous venions des mêmes beaux quartiers. Si j'avais choisi le bas de la ville, c'était par liberté d'esprit et ils m'en faisaient compliment. Ils m'ont évidemment laissée à moi-même par la suite ; eux n'ont jamais habité par ici.

Abandonnons-les à leur mesquinerie. Le constructeur de barrières mérite davantage d'attention. Ce soir-là de notre première rencontre, il est parti dans la nuit sans attendre quelque engagement de ma part. Pas l'ombre d'une promesse exigée de moi. Aucune honte, cependant, de m'avoir raconté tout ça. Une drôle de confiance en moi ; une étrange certitude d'avoir fait ce qu'il fallait. Instinct ou caractère ? Il savait comment me prendre. Autrement dit, nos folies se rejoignaient quelque part.

J'allais lui obéir, un jour, dans une trentaine d'années.

Entre-temps, ma vie a continué sans lui. J'étais jeune et attirante. Des amis et des amants, j'en avais tant que j'en voulais. Je n'ai pas espéré le revoir. Par contre, je ne l'avais pas oublié : on n'en rencontre pas tous les jours, des gens qui prétendent avoir mis vingt-cinq ans à fermer une porte !

Cinq ans plus tard, je l'ai revu. J'étais au même endroit. Cette fois-là, il ne s'est pas assis en face de moi. Il était avec des copains. Je me suis renseignée : ils travaillaient au chantier naval. M'avait-il conté des pipes, l'autre fois, avec son histoire de caverne, de statue et de porte ? Je l'ai bien observé, pour voir si c'était lui. Quel profil il avait ! Comme un aigle. Et quelles mains ! Des mains de boucher ! Il s'était rasé le crâne, ça lui donnait l'air méchant. Je l'aurais voulu dans mon lit. Son corps devait être lisse comme un mur. Ses cuisses comme des piliers.

Je n'ai jamais connu son nom, ni son odeur.

À l'époque, j'avais déjà quatre enfants, en train de grandir à droite et à gauche. J'étais la honte de la famille, une traînée. Autrement dit, j'étais la plus belle et je ne refusais rien à personne. Dans les lieux enfumés et au coin des ruelles, je pratiquais l'art d'offrir mon corps en masquant mon visage. Puis je comptais mon or. Ces jours-là, j'avais tout le temps faim. J'allaitais le petit dernier.

Quand il s'est levé pour sortir, il m'a regardée. Il avait les yeux verts et un regard direct, qui a ravivé mes souvenirs de cinq ans plus tôt. Il m'avait donné quelques sous et demandé d'aller conter son histoire, dans bien des années, aux notables du coin. À mes meilleurs clients actuels, autrement dit.

Depuis la première fois où je l'avais vu, j'avais perdu un peu de mon insouciance. L'argent qu'il m'avait donné jadis, sans rien d'autre en retour qu'un engagement tacite et lointain, j'en appréciais mieux la valeur. J'ai quitté ma place dès son départ. Je suis allée voir là où il s'était assis. Les morceaux de lard refroidissaient sur le coin de l'assiette. C'était bien le même type. Il n'aime pas le lard.

J'ai mangé les bouts de gras qu'il avait laissés. Je me suis retournée. Il me regardait par la fenêtre. J'ai continué à manger en lui faisant face. Je renouvelais notre pacte.

Il m'observait à travers les petits carreaux de vitre jaune. Ah, le regard de cet homme sur la belle échevelée que j'étais ! Je dévorais ses restes comme une louve. J'ai imaginé qu'il me désirait. Son désir resterait derrière la fenêtre, intense et respectueux, gardant à jamais sa distance, de l'autre côté de la vitre. Comme la statue verte, de l'autre côté du mur, à Vrend.

Ma vie a commencé à changer.

Il est parti dans la nuit. Je l'ai revu quelquefois, de la même façon, au cours des années qui ont suivi. Il arrivait et s'asseyait, fermé en lui-même, un mur mâle qui ne demande rien. Une vie qui a cessé d'attendre. Un regard infranchissable et cependant dirigé sur moi un moment. Un rappel.

Une fois qu'il était là, je suis allée le trouver, pour lui murmurer : « Ce temple était sans porte. Je lui en construisis une... » Je n'avais pas oublié.

Il m'a interrompu d'un geste, sans même me regarder. J'ai senti à quel point ce sujet avait de l'importance pour lui, ce secret longuement conservé, vieillissant tel un vin précieux dans la profonde caverne de son esprit.

Il m'a répondu d'une voix basse, à peine audible : « Tu leur diras, tu le promets ? »

Moi qui caressais et pétrissais des corps de toutes formes et de toutes jouissances, nuit après nuit, sans aucune retenue, j'ai eu besoin à ce moment de toute mon audace pour lui prendre la main. Un geste d'amour, masqué en signe d'assentiment.

C'était la première fois que je le touchais. Ce serait la seule.

Sa main immense était presque poreuse au toucher. J'ai eu l'impression de m'enfoncer en lui, très loin. Cet homme se révélait vertigineux. Tout ce qui apparaissait lisse et fort à première vue s'évanouissait au toucher, caverne s'ouvrant de l'autre côté du mur, si belle et si fragile avec son espace et son trésor.

Je ne l'ai plus jamais revu.

J'ai continué à avoir des enfants et à les éparpiller à gauche et à droite, au hasard de leurs pères, à supposer qu'ils se reconnaissent comme tels.

Au long de toutes les nuits passées à allaiter et à faire jaillir du sperme, à sucer et à être sucée, à être engloutie par les orgasmes et à engloutir les

enfants et les hommes dans l'océan de mon plaisir, j'ai senti ma force s'ériger comme un mur. À
mon tour, j'allais mettre des années à le construire.

Graduellement, les hommes ont moins voulu
de moi. Il était temps que je me prépare à parler.

Lui, il était parti depuis longtemps. Mort, ou
bien embarqué sur un des voiliers qu'il avait aidé
à construire, je ne l'ai jamais su.

On ne peut pas dire que j'ai éprouvé pour lui
une réelle affection. N'importe lequel des pères
de mes enfants fut aimé plus chaleureusement.
Ceux qui avaient les cheveux frisés, riaient facil-
lement, me faisaient des cadeaux et m'embras-
saient dans le cou, je les ai chéris bien plus que lui.
Quant à mes enfants, je les aime plus que tout.

Lui, ce n'était pas le genre caressant. Je doute
qu'il eût toléré davantage que ma main qui l'a
touché, une fois. D'ailleurs, qui sait si mon geste
ne l'a pas déterminé à ne plus revenir ? Lui, une
espèce de moine et moi, une fille plus si désirable... Ma main sur la sienne : de quoi le faire fuir !

Assez de dérision. À son insu peut-être, il m'a
aidée, mieux que tout autre.

Quand le flot des amants a commencé à se tarir,
quand le dernier des enfants s'est mis à grandir,
j'ai trouvé le temps de réfléchir à ce qu'il m'avait
dit, cet étranger. La statue de Haztlén ! Comment
m'adresser aux vieux beaux de Frulken, à ceux
qui maintenant en fréquentaient de plus jeunes
que moi, pour leur annoncer que, si le temple
était fermé sur l'île voisine, ce n'était pas un
hasard mais une volonté, divine par surcroît ?

Pourtant, je me souvenais de son regard. Ce type était encore là, dans mon imagination, en train de me regarder. Des yeux qui ne cillent pas, qui me voient comme je suis, qui m'aiment telle quelle.

Il n'avait pas eu l'occasion de me trahir. Il était sorti de ma vie trop tôt pour ça.

Donc, par la logique de la mort ou du départ, il m'aimait à jamais.

Mon existence s'effilochait. Pas facile de voir ses dents tomber quand on a été belle, pas facile de voir les regards se tourner vers celles dont c'est désormais le tour. Mes fidèles protecteurs en trouvaient tout à coup d'autres à protéger. Ils faisaient des découvertes, eux. Moi, j'avais déjà été sucée, vidée de ma substance, utilisée.

Ce que j'avais ressenti pour ce fermeur de portes, ainsi que l'engagement qu'il me restait à remplir, m'ont permis de prendre une distance vis-à-vis de ma jeunesse. Avec élégance j'ai pu me retirer, cesser de m'offrir, cesser d'attendre.

L'ancien regard posé sur moi s'est mis à me hanter. Ce n'était pas celui d'un amoureux. Ni celui d'un sage, plein de bonté et de profondeur, éventuellement frelatées. Il s'agissait d'un coup d'œil objectif et cependant adorateur. Puisque j'avais accepté de livrer son message, je faisais partie de la famille de Haztlén, j'étais l'une de ses émanations. Le constructeur de barrières et moi, nous étions tous deux de simples humains et pourtant de dignes représentants de Haztlén. C'est ainsi que je le voyais me considérer, au-delà du temps. J'étais son éminente collègue, sans laquelle le travail demeurerait inachevé. Sa loyauté, son respect à mon égard étaient indéfectibles. Tout en lui me disait que j'allais réussir.

Je viens d'une bonne famille. J'ai reçu une éducation solide. J'ai eu beaucoup d'amants, qui me trouvaient cultivée. Il m'avait bien choisie. Je sais parler.

Je l'ai livré, son message.

Il y a de cela déjà une douzaine d'années, je l'ai livré. Ce ne fut pas simple.

La première fois qu'il m'en avait parlé, j'avais cru pouvoir m'acquitter de ma tâche les doigts dans le nez. Par contre, le moment venu, trente ans plus tard, j'ai senti que, pour y parvenir, il faudrait que je repense ma vie. Ça pouvait me mener très loin. Ce n'était pas confortable du tout. En premier lieu, il faudrait que j'affronte mon passé.

Jeune, j'avais ouvert mes bras pour n'importe qui. Plus tard, je n'avais pu retenir personne. Pourtant, tandis que je me préparais à parler, j'ai noté à quel point j'espérais, par cette démarche ou autrement, retrouver la faveur du milieu d'où je viens, qui m'aurait pardonné ma jeunesse tumultueuse.

Or, rien ne me permettait de croire que cela se produirait. Ceux qui m'avaient laissée tomber ne donnaient aucun signe de vouloir me réintégrer à leur univers. Je boitais et mon heure de gloire était passée. En regardant cette vérité en face, j'ai commencé à songer avec ardeur à la porte murée qui cache aux regards des intrus une statue négligée. Ma lucidité se teintait de ressentiment, qui se fondait dans la légende d'une déité oubliée qui couve sa vengeance. La statue du vieil océan Haztlén s'élevait lentement en moi, verdoyante et indestructible. Un mur a été construit pour fermer la caverne au fond de laquelle elle médite. C'est un mur de dignité et de rage contenue, pour laisser dehors l'écume du bavardage.

Il y a des gens qu'on ne prend jamais au sérieux, des gens dont la malédiction est d'être tournés en ridicule par les bien-pensants. Je craignais d'en être, moi une vieille pute, la fille du juge untel qui a mal tourné, qui a semé des enfants aux quatre vents. J'avais passé ma jeunesse à m'agiter comme une chienne affectueuse, sans cesse de bonne humeur, toujours reconnaissante et prête à plaire. Maintenant, plus personne ne voulait de moi. Comment me présenter devant l'assemblée des notables sans que mon amertume éclate au grand jour ?

Un beau matin, pourtant, je suis allée les voir, à la ville haute, là où on envisage de construire une nouvelle citadelle. Pour une raison ou pour une autre, je ne boitais presque pas. La température, sans doute, ou bien le sentiment d'être une dernière fois le point de mire.

Les gens au pouvoir m'ont vue entrer d'un pas régulier dans leur salle du conseil. C'est en me tenant droite devant eux que j'ai pris la parole.

Eux et moi, nous appartenons à une génération qui n'accorde pas beaucoup d'importance aux choses de la religion. Ma mère était plus dévote. Mes enfants aussi, sans doute. Quant à moi, je ne suis pas d'une nature religieuse. Je me contente d'entretenir un lien privilégié, très discret, avec Haztlén ! Il me protège et me donne des visions prophétiques, rien de moins ! Par contre, cérémonies, lampions et foules bouleversées, très peu pour moi.

Je me suis retrouvée entourée de mes amants de jadis, plutôt mécréants, pour les entretenir d'un temple. Tous ces fils de bonne famille, qui étaient venus me voir au fil des ans, parce que je faisais classe et que mes tarifs étaient abordables, étaient ici réunis, revêtus de chasubles d'office, alors que je les connaissais mieux nus. Je les ai considérés sans rire.

J'avais fait comme le type m'avait dit. Au long de toutes ces années, j'avais conservé dans un coffre le châle noir à fils d'or que je portais la nuit de sa rencontre. Coup de chance : les mites ne l'avaient pas troué ! Je l'avais donc drapé sur mes épaules amaigries. C'était ma toge d'office à moi.

Je leur ai rappelé l'existence du temple de Haztlén. Ils m'ont écoutée. Nous n'étions pas seuls. Il y en avait de plus jeunes parmi eux, de plus vieux aussi. Plusieurs ne savaient pas qui j'étais, ce qui était à mon avantage. Ça m'a aidé à garder ma contenance.

J'ai observé le petit secrétaire qui prenait ses notes pendant que je parlais. Un myope nerveux, qui avait su me faire jouir, dans le temps. Sa dextérité, il l'utilisait maintenant pour écrire ! Sa taille s'était courbée, l'arthrite déformait un peu ses doigts. Je lui ai déclamé d'une voix lente et sonore : « Ce temple était sans porte. Je lui en construisis une, de la façon que je t'ai dite. Nul homme ne peut l'ouvrir. Seul le dieu, au jour qu'il aura choisi. » Je voulais que les archives gouvernementales contiennent les mots que j'avais entendus.

En d'autres circonstances, le secrétaire aurait peut-être rechigné à noter le terme « sans porte », argumentant que cela semblait impliquer une absence d'entrée, d'ouverture, et s'appliquer davantage à la situation actuelle qu'à celle qui avait prévalu dans le passé. Je me souvenais de son goût pour l'expression juste. Selon lui, sans doute, il eût mieux valu dire « ce temple était béant », « ce lieu était trop accessible ; désormais c'est l'inverse ». De mon côté, par contre, j'aime la poésie ambiguë de l'expression « sans porte », utilisée par le fermeur. Je me réjouis que soit consigné un zeste d'inexact. Non pour humilier le scribe et ses archives – mon ressentiment me pousse plutôt vers d'autres domaines – mais pour permettre un envol de l'imagination, un jour, peut-être, en d'autres temps.

Mon récit terminé, j'ai attendu les réactions.

« Quelle comportement curieux, a commenté quelqu'un. S'il s'agissait de faire disparaître une statue, pourquoi ne pas l'avoir emportée, pour l'enterrer dans un trou ou la jeter dans la mer ? »

Je n'avais rien à répondre là-dessus. Les dieux font ce qu'ils veulent.

« Pourquoi cet emmureur de statues n'est-il pas venu nous la raconter lui-même, son histoire ? » a demandé quelqu'un d'autre.

Pour ça, c'était clair : on aurait alors pu le forcer à montrer où était la porte qu'il avait construite.

Tandis que moi, je ne savais rien. J'informais d'une absence, d'une impossibilité. J'affirmais que la négligence a des conséquences et qu'il y a des choses qui se perdent.

Celui qui avait muré la porte du temple y avait consacré vingt-cinq ans de sa vie. En livrant son message, je retrouvais ma dignité.

J'ai parlé avec mon accent de bonne famille. J'avais des cousins dans la salle. J'ai fait des phrases bien construites, prononcées d'une voix claire, avec une diction parfaite. J'ai senti mon châle me protéger comme s'il retenait encore le regard ardent de l'étranger sur moi. Ce regard devenait une muraille. Ceux qui me faisaient face m'avaient un jour abandonnée, chacun à sa façon. Cependant, de mon côté, toute trace de ressentiment à leur égard était envolée, inexistante. J'étais la voix d'un mur et d'une statue.

Personne n'a ri, ni de cette statue ringarde, ni de ce temple d'opérette, ni du constructeur maniaque de murs, ni de moi. Peut-être qu'on a ri après mon départ, mais je n'étais plus là pour l'entendre.

Ils auraient préféré que je leur parle d'autre chose, c'est évident. Si je m'étais mise en colère, ç'aurait justifié le mépris qu'ils me manifestaient depuis des années. Par contre, ils m'aimaient bien, dans le fond ; ils ne tenaient pas à me voir de mauvaise humeur. Ils auraient apprécié que je les amuse, que devant eux je fasse contre mauvaise fortune bon cœur. J'aurais raconté mon récit d'un ton badin, leur montrant ainsi que je ne leur en voulais pas et que les amitiés du bon vieux temps tenaient toujours.

Je ne leur ai pas accordé ce plaisir. J'ai donné carrément dans le tragique, le grave et le préoccupant.

Si j'avais tenu à ce registre, ils auraient sans doute accepté que j'aborde un sujet d'ordre social, par exemple la place des vieilles prostituées dans le monde actuel. Je n'ai rien à dire là-dessus. Du moins dans leur langue.

Évidemment, ils auraient été plus à l'aise si le temple était demeuré tel quel, sans porte, ouvert aux quatre vents.

On aurait pu faire comme si de rien n'était. Si plus personne n'y allait, personne non plus ne s'en serait rendu compte. La statue se serait fondue dans la nature, aurait été emportée par un voleur ou bien carrément oubliée. Nul n'en aurait parlé. Les conséquences de cette désaffection se seraient perdues dans la brume.

Au contraire, on avait eu affaire à un fermeur de portes expert, qui avait bien préparé son coup en m'incluant dans son plan.

Cela dit, je demeure convaincue que ce qui gênait les notables par-dessus tout, c'était la couleur de la statue. Annoncer l'inaccessibilité d'une statue verte dans un temple perdu, ce n'était pas ce qui allait refaire mon image, me donner une crédibilité, me rendre sympathique.

Que je leur en parle et, du coup, je renonçais à tout espoir d'être admise de nouveau dans leur classe sociale, celle où j'étais née, à laquelle j'appartenais de droit. Je renonçais définitivement à mon héritage, puisque ceux qui n'avaient pas renoncé au leur me rejetaient, eux. Je n'irais pas jusqu'à dire que notre rupture était consommée par ma déclaration au sujet d'une statue verte, mais plutôt qu'elle se manifestait ainsi au grand jour. Par mon annonce, j'assumais ma place. Je ne cherchais plus à améliorer mon sort, j'en prenais publiquement mon parti.

Non, le vert les contrariait. Détail futile en apparence, mais je savais à qui j'avais affaire. Ils ne l'accepteraient jamais. Une sculpture de granit, j'aurais pu leur donner un exposé là-dessus et ils m'auraient applaudie. Un marbre caché au fond d'une masure, enfermé dans un coffre ou croupissant dans un entrepôt, ils auraient réagi. Une statuette d'obsidienne sur le manteau de cheminée d'un salon secret, voilà qui aurait pu les passionner. Ces gens au pouvoir auraient pu composer avec du discret, du légèrement mystérieux qui se prend avec un grain de sel. Mais Haztlén vert-turquoise translucide au fond d'un temple scintillant, vous y avez pensé ? Irrécupérable, un truc pour la jeunesse. Tu abordes le sujet sans t'en moquer et ta réputation est fichue.

Je leur en ai parlé sans rire. Je leur ai balancé du sacré et du scintillant en pleine figure. Qu'ils s'arrangent avec. Dès ce jour, j'abandonnais le projet de me faire accepter dans leur monde de décideurs. Tel était le prix que je devais payer pour respecter mon engagement envers le fermeur de porte. À cause de son regard qui me réchauffait intérieurement depuis longtemps, je serais à jamais du côté de l'intensité, non de la bienséance.

Pour ces gens de pouvoir, les questions métaphysiques – le dieu de l'océan, vous savez – ils les laissaient aux professeurs et aux prêtres de leurs amis. Ils en discutaient avec eux, une fois de temps en temps, avec un raffinement mélancolique, autour d'une carafe de vin.

Par contre, la métaphysique selon moi, Trinit-Tayinn, était et demeure verte, translucide, secrète et embarrassante. La statue de Haztlén est métaphysique, je l'affirme avec tout ce qu'il me reste d'éducation.

J'ignore d'où vient la statue. On la dit plus que millénaire. Certains la décrivent comme le fruit des amours du fond, du sens – aspect féminin – et de la forme, de l'expression – manifestation masculine – pour l'océan et ses profondeurs cauchemardesques. D'autres la prétendent issue d'une compétition amoureuse entre la grande mère Esprit de Géométrie et son fils Esprit de Finesse, pour obtenir les faveurs de la Bonté Chaotique ayant trouvé refuge sur nos rives. Tranag et Vrouig, alors appelé Vriis, l'une pleine de contrastes, lapidaire et passionnée, l'autre accommodant, admiratif, habile poète des textures fines, joignent leurs talents complémentaires, ne leur permettant pas de s'opposer en rivalités stériles. Ce qui en surgit, c'est une représentation particulièrement éloquente de la nature du réel : Haztlén fixé dans la pierre resplendissante.

D'autres légendes dérivent du destin tragique du sculpteur ayant créé une telle merveille, parce qu'elle serre de trop près la nature du monde. Sans parler des récits xénophobes et cruels qui feraient de la statue la représentation réaliste d'un être difforme. Cela pour dire à quel point cette statue

a suscité une variété de contes, à saveur philo-
sophique certaine mais brumeuse. C'est un mythe.
C'est une entité. Mon pays ne serait pas ce qu'il
est sans sa face cachée, qui a pour nom Haztlén.
Elle a quelque chose de chthonien, de primordial
et d'inacceptable.

Voilà pourquoi je m'en réclame, moi qui ai
gagné mon pain grâce à l'inavouable, au non-dit,
en souhaitant la bienvenue à la pulsion triom-
phante. Et puis, j'ose l'affirmer, depuis que la
porte a été fermée, la légende de Haztlén prend la
teinte de ma propre vie, celle de l'amertume.

Sans désir de revanche, pas de porte, pas de
proclamation, pas de vengeance ni de malédiction à venir, la petite statue demeure un bout de
roche oublié quelque part et ma vie perd son sens.
Or elle est verte et puissante. Verte de jalousie, à
moins qu'il ne s'agisse de désir de justice, verte
de rage, à moins qu'il ne s'agisse de courroux
divin, verte de vie. Elle trône dans un temple magnifique, érigé en son honneur. Elle ne changera
ni de couleur ni d'emplacement pour faire plaisir
aux gens de goût. Sa vivacité et sa plénitude s'im-
posent au-delà de l'esthétique. Elle triomphera
un jour, elle et tout ce qu'elle représente.

En m'adressant à toute l'assemblée, à ceux
qui supportent le vert-turquoise ainsi qu'à ceux
qui préféreraient qu'il n'existe pas, j'ai produit
mon effet. Dorénavant, personne ne pourrait faire
comme si je n'avais rien dit. J'avais trop de
témoins, en plus d'un secrétaire pour noter ma
déclaration.

Quand il s'agit de vengeance, il faut annoncer d'où va venir le coup.

On ne frappe pas sans prévenir ; on avertit long-temps à l'avance. Un dieu n'est pas impulsif. Il laisse aux gens le temps de faire amende hono-rable. J'ai rempli mon mandat : annoncer aux gens de l'Archipel qu'ils n'étaient plus dans les bonnes grâces de Haztlén. À eux de jouer, main-tenant.

Pour tout dire, je m'attends à ce que mes paroles demeurent sans effet.

C'est d'ailleurs ce que je souhaite. Que ça tourne mal, un jour, vraiment mal, même si je ne suis plus là pour le voir. Ce qui parle à travers moi, c'est un trop-plein d'amertume. Le sort du constructeur de portes ou le mien ne sont que des symptômes. Le monde est devenu insensible. Un châtiment à grande échelle serait de mise, quand bien même mes descendants seraient parmi les victimes. Par contre, magnanime comme il sied à la messagère d'un dieu, je laisse ouverte une possi-bilité de rédemption.

Ce jour-là, au conseil, j'aurais voulu qu'on m'implore d'essayer de retrouver l'étranger. J'au-rais été ravie que tous veuillent s'excuser auprès de lui et n'aient de cesse que le temple soit rou-vert, avec son aide. Peut-être n'était-il pas mort, après tout, ni parti sur la mer. Peut-être m'at-tendait-il quelque part dans Frulken, assis à une table enfumée. Je serais venue le trouver avec mes compagnons pleins de repentir. Nous l'aurions ému, fait fléchir. Alors, nous serions tous partis pour Vrend dans son bateau. Nous aurions pris les pelles et les pioches pour démolir le mur, pour défaire joyeusement l'œuvre du ressentiment. Nous aurions admiré la splendeur verte au fond du temple, nous l'aurions réchauffée contre notre cœur aux rayons du soleil...

Plus prosaïquement, on aurait pu m'offrir une tasse de thé.

Au lieu de me regarder comme une revenante, on aurait pu envisager, avec mon concours, de retracer les personnes âgées qui l'avaient visité, ce temple. Question de patrimoine ou de semblant de religion ! Vert-turquoise ou non, on a l'héritage qu'on peut ! Cette pierre, sculptée ici, vient de chez nous, de Drahal, à l'ouest de l'Archipel. Translucide ou non, c'est une de nos richesses naturelles, tout le monde le sait ! Les gens ne veulent pas assumer d'où ils viennent, qu'il s'agisse du terrain qu'ils occupent ou des contradictions et des combats dont ils sont issus. Ils se répètent tout le temps les mêmes histoires lisses et paisibles, ils veulent du marbre et des fleurs, une ascendance respectable, un pays de bon goût, auquel on peut être fier d'appartenir. Ils font toujours les mêmes oublis stratégiques. Entre-temps, Haztlén rit dans son trou, à moins qu'il ne se désole.

Ne nous méprenons pas, les recherches sur le temple et la statue, je les avais déjà faites, même si je n'en ai rien dit. Les vieillards de Frulken qui avaient visité le temple dans leur enfance, j'étais allée les trouver pour écouter leur témoignage. J'avais accumulé dans ma mémoire toutes ces descriptions plus ou moins vagues, pour qu'en émerge une image claire, indépendante de mes désirs et de tout patriotisme, superbe et divine.

Voilà pourquoi je sais que la pierre de la caverne scintille.

Des souvenirs d'enfants pour un monde d'adultes qui n'en veut plus, j'en avais fait la récolte. Avec un peu de chance et de détermination, j'aurais retrouvé l'emplacement du temple lumineux, si on me l'avait demandé.

Personne ne s'est abaissé à ce genre de démarche. Nul ne prenait au sérieux cette question embarrassante. Mon expérience rejoignait celle du mureur de portes, que j'avais d'abord cru trop cynique. Que l'on s'exprimât en langue fruste ou châtiée, dans une gargote ou dans une salle du conseil, personne ne voulait entendre parler du temple ou de sa statue. Le message était nul et non avenu.

Douze ans ont passé, rien n'a changé. Je mourrai en gardant pour moi ce que je sais.

De quoi les gens ont-ils peur ? Qu'y a-t-il en eux de vert, de translucide et de scintillant, qu'ils ne veulent pas reconnaître ? Quel accès au mystère se refusent-ils ? Par quelle partie honteuse se sentent-ils liés à l'univers ? Ils tournent le dos à la statue comme à leur désir d'autrefois pour la belle fille facile que j'ai été ! Le vert-turquoise est trop beau et trop facile, se disent-ils sans doute. Leur attrait pour l'étrange, ils lui assignent des limites. Ils lui refusent le droit à la maturité, le confinant aux zones juvéniles où l'inconnaissable dégénère en caricature.

Non, je n'ai perdu ni mon vocabulaire ni mon éducation. Je les transforme en armes, pour dénoncer ceux qui me les ont donnés. Parce qu'ils refusent d'en voir la vraie couleur. Verte.

Ce jour-là, j'ai quitté la salle la tête haute. Quand je suis sortie dans le vent de la côte, l'horizon de la mer m'a accueillie. Ce n'était pas la mer telle que je la connaissais. C'était quelque chose de plus grand, de plus chaleureux, de plus sauvage, qui venait de moi pour éclater au dehors. L'océan vert-turquoise frangé d'écume blanche, qui nous regarde qu'on le veuille ou non.

Haztlén se prépare à maudire un archipel entier – mon propre pays. Dans un premier temps, le vert redeviendra à la mode, couleur nationaliste vidée de son sens visionnaire, couleur des nantis et des gens au pouvoir, appauvrie de son aspect primordial. Puis, ce vert d'apparat servira de cible à la vengeance de l'océan, puissante comme un orgasme qui durerait des jours et engloutirait tout sur son passage. Je n'en vois pas plus. C'est suffisant. Le moment où le dieu ouvrira la porte de son temple arrivera bien après. La vengeance et l'horreur d'abord. Pour le reste, chaque chose en son temps.

Je ne vais pas implorer Haztlén pour tenter de le fléchir. Même au nom de mes enfants, je ne le supplierai pas. Ce n'est pas mon rôle.

Devant la colère de Haztlén, je demeure l'exception, la messagère de l'océan courroucé, chérie par le dieu intense qui m'a permis de me ressaisir. Je ne suis plus offerte. Mon intelligence et ma mémoire reprennent leurs droits. La grâce de Haztlén se répand en moi et y reste. Ma chambre est chaude en hiver et mon assiette est pleine. Mes enfants se sont rapprochés. Bien sûr, l'ancien regard nous accompagne.

Il faut des murs. Il faut que des gens acceptent de les avoir construits. Il faut des portes qui ne s'ouvrent pas, des lieux désormais clos, des dieux soudain inaccessibles. J'ai suivi le mur qui s'érigeait en moi. Il m'a menée plus loin que toutes les portes que je pouvais concevoir. Je demeure Trinit-Tayinn, d'abord fille puis vieille femme au châle, qui considère le monde d'un regard de plus en plus impénétrable.

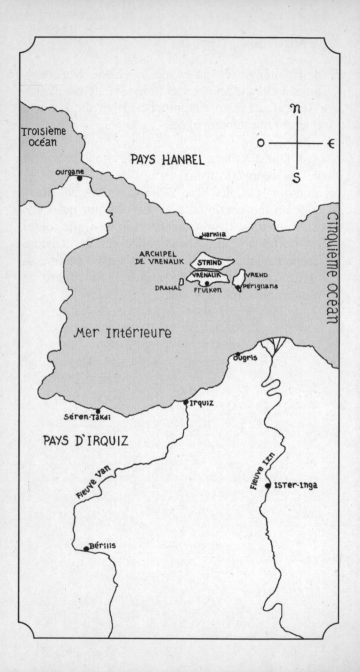

La formation du Rêveur

Il y avait deux ans que Skern Strénid était officiellement chef de Vrénalik quand il fit venir Ftar à Frulken. Ftar était originaire d'Irquiz, l'une des plus anciennes villes du sud de la mer Intérieure. Alors que Vrénalik était en plein essor, le pays d'Irquiz déclinait. Il s'ouvrait largement aux Asven de Vrénalik, qui étaient à la fois émerveillés de son opulence et irrités de voir qu'on n'avait pas tiré meilleur parti de ses richesses.

L'une de ces richesses était la drogue farn, que les gens d'Irquiz ne prenaient plus que pour leur délassement, mais qui pouvait servir à d'autres fins. Ftar connaissait les ressources de cette drogue, et c'est la raison pour laquelle Skern Strénid l'avait fait venir à Frulken.

Ftar débarqua en avril, par un matin pluvieux. Les autorités gouvernementales, qui d'habitude se montraient soucieuses de ce genre de détail, avaient pourtant négligé d'envoyer une voiture au port pour accueillir Ftar et ses bagages. Celui-ci, regrettant déjà d'avoir quitté Irquiz où il avait passé sa vie, refusa d'attendre la voiture prévue et entreprit de se rendre à pied à la Citadelle où résidait Strénid. Ftar était un vieillard. Il avait perdu l'habitude de gravir des pentes abruptes sous une pluie printanière. Sa colère contre lui-même et contre ce nouveau pays était grande quand, relevant son capuchon, il partit dans l'orage. Les marins témoins de ses ennuis haussèrent les épaules en remarquant :

— C'est notre invité, après tout. Il peut bien se promener à pied si c'est ce qu'il préfère.

La Citadelle se dressait à l'ouest de la ville, dominant la mer. Empruntant les rues qui longent le port, Ftar se dirigea vers elle. Peu à peu le chemin fut moins encombré, la pente s'accentua. Les entrepôts cédèrent la place à des maisons, et à celles-ci succéda le talus qui monte à la Citadelle. L'herbe n'avait pas commencé à verdir ; des plaques de neige apparaissaient encore aux endroits ombragés. La pluie rendait les pavés glissants, et Ftar, trébuchant et trempé, poursuivait son ascension, mû par la seule force de sa colère. Parvenu à mi-pente, il dut s'arrêter pour reprendre son souffle. Il se retourna. La ville de Frulken s'étendait à ses pieds. À l'est, au nord, des maisons de pierre noire jusqu'à l'horizon. Au sud, la mer. Des murmures, des bruits, des appels résonnaient dans l'air embrumé. Ftar se tourna vers l'ouest. La silhouette massive de la Citadelle bouchait le ciel.

« Cet édifice est fort laid, songea-t-il. Ces petites tourelles dérisoires émergeant d'un amas de pierre, c'en est presque terrifiant à force de ridicule. »

Il se remit en marche, le cuir mouillé de ses chaussures entamant la peau de ses pieds.

Au mur d'enceinte, une sentinelle l'arrêta.

—Je suis venu d'Irquiz, à la demande expresse de Skern Strénid, déclara Ftar.

Il sortit de sa poche un papier, que la sentinelle examina. On y distinguait la signature de Skern et le sceau officiel du pays. Ftar entra dans la Citadelle.

Dans la cour intérieure, une calèche le dépassa ; il reconnut ses bagages à l'arrière. Il se dirigea vers l'entrée du bâtiment le plus proche.

—On m'a dit de me présenter ici, déclara-t-il au garde en faction devant la porte.

Celui-ci examina à son tour la lettre et pénétra à l'intérieur avec Ftar, qui enleva son manteau, le secoua tandis que le garde expliquait la situation à un confrère. Ils discutaient en asven ; Ftar connaissait cette langue, mais pas au point de comprendre tout ce qu'ils disaient. Finalement, un domestique en livrée verte arriva et lui fit signe de le suivre.

Du vestibule sombre où ils se trouvaient, ils passèrent à une longue salle aux fenêtres étroites. Des tables et des bancs y étaient disposés. Certains étaient occupés par des gardes en uniforme rouge. Des tapisseries recouvraient les murs. À cette salle succéda un corridor, puis un autre, puis quelques escaliers. Enfin, ils s'arrêtèrent devant une porte, que le domestique déverrouilla.

—Votre chambre, dit-il en tendant la clé à Ftar.

La pièce était spacieuse et luxueusement meublée. Sur le sol, un tapis de fourrure ; aux murs, des tentures de velours. Le lit portait des couvertures vertes, tandis que, près de la fenêtre, des pommes rouges étaient disposées dans une corbeille. Les bagages se trouvaient à côté.

— Vous rencontrez Skern Strénid dans une heure, déclara le domestique avant de s'en aller.

« Si les enfants me voyaient ! » songea Ftar. Le luxe de la pièce lui rappelait certains palais d'Irquiz qu'il avait fréquentés, mais l'ameublement était choisi avec moins de recherche. Ayant mis des vêtements secs, Ftar remarqua une théière et une tasse sur une commode ; il se servit un thé tiède en grignotant une pomme. Puis, distraitement, il rangea une partie de ses effets personnels. Il s'approcha de la malle qu'il avait emportée et l'examina. Les scellés qu'il avait lui-même apposés paraissaient intacts. Il ouvrit la fenêtre derrière lui ; la pluie s'engouffra. Il rompit les scellés, ouvrit la malle et recula. Malgré le vent, l'odeur de la drogue farn le prit à la gorge.

Il n'avait jamais consommé de cette drogue ; c'eût été trop dangereux, et de toute façon, il n'avait jamais eu les moyens de s'en procurer. Mais sa longue fréquentation des consommateurs de farn l'avait rendu très sensible à cette odeur, et le fait même de la respirer suffisait à l'étourdir. Il vérifia que la malle était toujours pleine à ras bord. Quelle richesse inestimable ! Il plongea un doigt osseux dans la pâte blanche, cireuse, qu'était la drogue, en détacha un morceau qu'il enveloppa dans un mouchoir, puis il referma sans tarder le couvercle et mit la tête à la fenêtre pour se dégriser.

Un moment plus tard, un garde vint le chercher. Ils suivirent des corridors de pierre ornés de lustres au plafond et longèrent tantôt des cours verdoyantes, tantôt des jardins aux allées droites. Quelques marches à monter ou à descendre brisaient la monotonie du chemin. La Citadelle s'était édifiée petit à petit au cours des siècles ; différents bâtiments avaient été peu à peu reliés les uns aux autres.

On s'arrêta à une porte de chêne, que le garde ouvrit. Ftar s'était attendu à rencontrer Skern Strénid en tête-à-tête ; au contraire, il se trouva en présence d'une vingtaine de personnes, hommes et femmes, qui parlaient entre elles et dont aucune ne semblait être le chef de Vrénalik. C'est à peine si l'on remarqua l'arrivée de Ftar ; celui-ci s'assit sur une banquette et attendit.

Le centre de la salle était occupé par une immense table ovale au-dessus de laquelle un lustre était suspendu. La pluie frappait les carreaux des fenêtres. Le plancher était recouvert d'un tapis de laine verte ; des panneaux de bois sculpté ornaient les murs. Ftar s'intéressait aux moulures du plafond quand une porte s'ouvrit en face de lui.

Les conversations s'interrompirent et Ftar supposa – avec justesse – que c'était Skern Strénid qui venait d'entrer. L'homme était jeune, de taille moyenne, avec les cheveux châtains et les yeux gris. Il parcourut l'assemblée du regard, tandis que son secrétaire invitait chacun à prendre place à la table. Les bruits de chaises et de papiers remués cessèrent et, après quelques minutes de préambule, on aborda le sujet qui concernait Ftar :

—Il y a de cela six mois, dit le secrétaire, notre conseil a décidé d'acheter à Irquiz la quasi-totalité de la production de drogue farn de cette année, afin d'étudier les possibilités de cette substance. Ce farn est arrivé à Frulken aujourd'hui, et nous avons le plaisir d'accueillir parmi nous le spécialiste que nous avons engagé, monsieur (et ici le secrétaire consulta son papier) Ftar Ilis Dhramyi.

Ftar salua de la tête. Comme il s'y attendait, on avait mal prononcé son nom. Il fallait dire Témari-i, avec l'accent sur la première syllabe. Les Dhramyi étaient l'une des plus anciennes familles d'Irquiz. « Quels barbares », songea Ftar, qui par ailleurs avait l'habitude de ce genre de méprise.

— Notre invité va maintenant nous rappeler le but de sa venue, conclut le secrétaire.

Ftar jeta un coup d'œil ennuyé au secrétaire : ainsi, il devrait répéter les explications qu'il avait données une dizaine de fois aux envoyés de Vrénalik au moment de la conclusion de l'entente sur le farn, quelques mois auparavant. Il se leva, dénoua le mouchoir qu'il avait préparé pour cette éventualité, le jeta au centre de la table d'un geste un peu arrogant, en observant Skern.

— Vous avez devant vous un morceau de farn, dit il, que vous pourrez examiner à loisir. Il vaut approximativement trois fois son poids en or, ou six fois son poids en cuivre – au taux où vous le vendez à mon pays. Si nous le partagions également, nous obtiendrions chacun un morceau de la taille d'un pois, susceptible de nous donner des hallucinations pendant un jour ou deux. Cette expérience pourrait être agréable ou non ; le fait est que les usagers prennent rarement le farn à l'état pur, car les visions qu'il suscite manquent de fantaisie.

Je saurais vous renseigner sur les mélanges les plus efficaces pour obtenir de belles images, mais ce n'est pas pour cela que nous sommes ici. L'intérêt de la drogue, à vos yeux comme aux miens, vient du fait que l'on peut obtenir en l'absorbant des résultats autres que de simples hallucinations. Il faut pour cela subir un entraînement de plusieurs années et consommer le farn pur à très fortes doses. Il s'ensuit un grand oubli de soi-même au profit de la réalité extérieure. Le rêve devient arbitrairement objectif, parce que le rêveur ne tient nullement à lui donner l'empreinte de sa personnalité. En termes pratiques, le farn permet de voir, au moyen du rêve qu'il induit, ce qui se passe dans n'importe quelle partie du monde.

Vous remarquerez que je parle toujours en termes visuels des effets du farn. Le fait est que ces personnages spécialement formés ne doivent rêver qu'avec leur vue, et non avec leur ouïe, afin de garder un contact auditif avec la réalité qui les entoure ; ainsi peut-on les interroger sur ce qu'ils sont en train de voir.

Ces gens portent le titre de Rêveurs. La quantité de drogue que vous avez achetée, c'est-à-dire les neuf dixièmes de la production de cette année, subviendra aux besoins d'un seul apprenti-Rêveur pendant une quinzaine de mois. Semblable quantité procurait l'an passé des rêves artificiels à toute la classe oisive de mon pays. Les raisons qui ont poussé les dirigeants d'Irquiz, il y a de cela une trentaine d'années, à suspendre la formation de Rêveurs au profit du délassement des riches de la ville sont dès lors faciles à deviner. J'ignore quel argument vous avez fait valoir pour les convaincre de vous vendre le farn.

—Nous sommes leurs principaux fournisseurs en cuivre, répondit Strénid.

C'était la première fois qu'il prenait la parole depuis le début de la réunion. Ftar le regarda et hocha la tête.

—Eh bien, conclut-il, il nous reste maintenant à déterminer quel genre de Rêveur vous désirez obtenir. Nous étudierons ensemble vos besoins, ainsi que les dossiers des candidats. Ceux-ci devront se montrer capables de travailler dans des conditions variées et susceptibles d'obtenir une vision précise à courte comme à longue portée. Ce sont là les qualités les plus appréciées, et je sais comment les détecter. Nous choisirons ensuite celui ou celle qui obtiendra le poste, et je l'entraînerai, en mettant l'accent sur les particularités que vous aurez jugées les plus souhaitables. Y a-t-il des questions ?

Après un instant de silence, quelqu'un demanda :

—Pourquoi la production de farn est-elle si faible ?

Ftar sourit en répondant :

—C'est que la plante dont on extrait le farn est une mauvaise herbe des environs d'Irquiz. De multiples essais ont été tentés pour la cultiver, pour la faire croître ailleurs ; la plante pousse n'importe où, mais ne produit en général pas de drogue. Il faut la cueillir à l'endroit qu'elle a choisi, dans les pâturages, les terrains vagues, les potagers et les champs. Un procédé secret permet ensuite d'obtenir le farn.

Ftar reprit son siège. Un des membres de l'assemblée, en face de Strénid, se leva.

—Soit, dit-il. L'argent a été versé, et la drogue livrée. Mais avons-nous besoin d'un Rêveur ? Notre pays a-t-il besoin de la science d'Irquiz ? Nous savons de quelle persuasion Strénid a dû faire preuve pour nous convaincre de voter l'achat du farn, mais quelles sont les raisons profondes qui l'ont motivé ?

—Je me suis expliqué souvent à ce sujet, répondit Strénid. Dans notre situation, innover nous sera bénéfique. La formation du Rêveur est un risque calculé, pareil en cela à bien d'autres.

Son interlocuteur ne l'entendait pas de cette façon :

—Nous connaissons vos méthodes, dit-il. Il ne fait aucun doute que vous désirez sans cesse plus de pouvoir. Quel groupe, ici même, désirez-vous affaiblir au moyen de cette mascarade, de cette drogue, de ce Rêveur ?

—Ces accusations grandiloquentes me semblent indignes de l'habile financier que vous êtes, répondit Strénid sans se départir de son calme.

La joute oratoire ainsi engagée perdit rapidement son intérêt pour Ftar, qui en avait entendu de semblables à Irquiz. Il cessa d'écouter et pensa au Rêveur qu'il formerait.

Bien qu'il fût un vieil homme, il n'avait jamais eu l'occasion de procéder seul à l'entraînement d'un Rêveur. Quand il était jeune, il avait appris auprès de ses aînés les méthodes utilisées, et il

avait pu se familiariser avec elles. Irquiz avait
alors décidé de se passer des services des Rêveurs, et ces connaissances n'avaient jamais été
appliquées. Ftar dut gagner sa vie en apprenant
aux riches comment jouir le mieux possible de la
drogue farn. Cela lui était toujours apparu comme
une sorte de prostitution. Il lui semblait inespéré,
au terme de sa vie, de pouvoir enfin donner sa
pleine mesure.

Dès le lendemain, on remit à Ftar les dossiers
des candidats. Il se mit à les lire avec diligence,
mais ne put aller très loin, ignorant la significa-
tion de certains mots. Sa maîtrise de la langue
asven laissait à désirer, songea-t-il. Il lui fallut
attendre quelques jours avant de pouvoir rencontrer le rédacteur des dossiers. C'était un petit
homme à l'allure maussade.

—Qu'est-ce que vous ne comprenez pas ?
demanda-t-il.

—Je viens d'Irquiz, expliqua Ftar d'un ton
aimable. Les notes que vous avez rédigées sont
sans doute très claires pour un Asven : quant à
moi, je m'y perds.

—Avez-vous un exemple ?

Ftar se mit à fouiller dans les papiers.

—Oui. Regardez ici : paradrouïm. C'est un
mot qui revient souvent : sur quinze candidats,
sept ou huit sont qualifiés de « paradrouïm ». Que
signifie ce mot ?

L'autre haussa les épaules.

—C'est à la demande de Strénid. Il voudrait
bien que votre Rêveur soit un paradrouïm. Il ne
les aime pas.

—Mais encore?

—Il y a un autre mot pour les désigner : sorciers.

Sorciers. Ftar cilla.

—Ils jettent des sorts? demanda-t-il.

—Oh non ! Enfin, rarement. Ils font peu de choses. Parfois, quand l'envie leur prend, ils nous donnent du beau temps pendant une semaine, ou bien ils se mettent à dire l'avenir, ou à guérir les malades. La plupart du temps, ils ne font rien. Ils méditent, paraît-il.

—Et Skern Strénid voudrait que j'en choisisse un comme Rêveur?

—Savez-vous comment cette liste de candidats a été établie? Strénid m'a dit : « Trouve-moi une douzaine d'indésirables intelligents et écris quelques pages sur chacun d'eux. »

Ftar en fut muet d'étonnement. Après un moment, il dit :

—Ces manœuvres politiques ne me touchent pas. Ce qui m'importe, c'est qu'on me soumette des candidats acceptables.

—Ce sont des candidats acceptables. Que diriez-vous d'un Rêveur qui lise l'avenir ou qui calme les tempêtes?

—Encore faudrait-il que je croie à de telles merveilles ! Et d'ailleurs, puisque Strénid ne s'entend pas avec les paradrouïm, comment pourrait-il en convaincre un de travailler avec lui?

L'autre le regarda en souriant.

—Skern sait se montrer persuasif, non? Je suis son employé, et vous aussi.

Ftar soupira, ennuyé de sa propre naïveté.

—À Irquiz, dit-il avec nostalgie, être choisi comme Rêveur était un honneur, un privilège.

—Il semble qu'on ne l'entende pas de cette façon ici. La drogue farn affaiblit la volonté, n'est-ce pas?

Ftar demeura pensif. Finalement, il dit:

—Ainsi, on forcera la main à celui que je choisirai, on lui fera du tort. Je refuse de travailler dans de telles conditions.

—Allons donc.

—J'ai du respect pour mon métier.

Il y eut un silence. Son interlocuteur le rompit.

—Je vous en ai trop dit, c'est clair. Je croyais que vous étiez déjà au courant. Pour vous réconforter, songez que vous œuvrerez pour le bien d'une communauté. Songez également à votre famille.

Il se leva et sortit.

Ftar hésita, puis il se remit à lire les dossiers. Aucun des candidats ne savait sans doute qu'il était en nomination pour devenir Rêveur, aucun d'eux ne désirait ce poste. Qui serait la victime? Si lui-même refusait, purement et simplement, d'accomplir le travail pour lequel on l'avait fait venir, qui pourrait le remplacer? Le projet serait gravement compromis.

Il se leva et s'en alla prendre rendez-vous avec Skern, demandant son chemin à plusieurs reprises. Dans un corridor, il croisa un groupe de jeunes gens vêtus pour le bal. Les mains des femmes attirèrent son regard. Au doigt elles portaient toutes la même bague rouge et verte. La pierre vert-turquoise, richesse de Vrénalik; l'écarlate, couleur de Skern Strénid : ces jolies dames étaient peut-être des épouses de Skern. Ftar avait entendu dire qu'il en possédait une dizaine, et qu'il les prêtait à ses amis. Il se demanda ce que Skern faisait quand les amis en question étaient des femmes ou des homosexuels. Sans doute y avait-on pensé.

Quant à lui, il ne s'était rien vu offrir. On avait jugé qu'il n'en était pas digne, ou encore qu'il n'avait plus l'âge de ces distractions. De toute façon, il repartirait le plus tôt possible pour Irquiz.

Le temps humide lui donnait mal aux jambes. En boitillant, il arriva aux appartements de Skern. Près d'une fenêtre ouverte sur la pluie du soir, un secrétaire travaillait à une table. Ftar prit rendez-vous avec le chef du pays. On lui répondit qu'il serait reçu le lendemain après-midi. Il rentra à sa chambre et essaya de dormir.

Le lendemain, il fut introduit auprès de Skern.

— Vous avez déjà sélectionné les candidats les plus prometteurs ? demanda celui-ci.

Ftar déposa les dossiers sur une grande table de pierre vert-turquoise, ne pouvant s'empêcher de noter la beauté de la pierre et la finesse du travail.

— Je vous donne ma démission, dit-il.

— Pourrais-je connaître vos raisons ?

— Un Rêveur choisi contre son gré, c'est inadmissible.

— Cela présente-t-il quelque danger ?

Ftar ne répondit rien.

— Il s'agirait donc d'une question d'éthique, conclut Skern. Je respecte votre décision. Vous sembliez pourtant désireux, d'après les rapports que j'ai reçus, d'exercer chez nous votre art, en acceptant de former ici un Rêveur.

—Les conditions sont inacceptables, je m'en rends compte maintenant.

—Regardons ensemble, dit Skern, ce que vous venez de me remettre.

Il prit les dossiers et les feuilleta, un crayon à la main.

—Le candidat, poursuivit-il, devrait être capable de remplir ses fonctions pour un grand nombre d'années ; comme son entraînement sera long, son âge actuel n'excédera pas la trentaine. J'exclus donc ces dossiers-ci.

Il posa deux feuillets sur la table.

—D'autre part, dès le début il disposera sans doute d'un certain pouvoir ; il sera ainsi nécessaire que son sens des responsabilités et sa stabilité émotionnelle soient éprouvés. Il devra donc être âgé de plus de vingt-cinq ans, n'avoir commis aucun délit et – soyons tatillon – ne pas être divorcé ; ce qui élimine ceux-ci.

Quatre dossiers rejoignirent les premiers sur la table.

—Nommer une femme au poste de Rêveur serait peut-être mal vu par la population, étant donné les changements de comportement, d'apparence, que cela implique – je ne m'étendrai pas là-dessus. D'où l'inadmissibilité des trois candidates qui demeuraient en lice.

Skern examina les dossiers qui restaient.

—Tiens, remarqua-t-il, sur six candidatures retenues, cinq sont celles de paradrouïm. Dites-moi, Ftar, que pensez-vous de ces gens-là ?

—Je n'en ai jamais rencontré.

—Vous ne vous opposeriez pas à travailler avec eux?

—Si nous pouvons communiquer. De toute façon, la question ne présente qu'un intérêt théorique.

—La plupart d'entre eux sont des charlatans. Certains, pourtant, ont des pouvoirs étranges. Il y en a même un dont j'avais soumis le nom – oui, il est toujours sur la liste finale – un paradrouïm dont la spécialité est le contrôle des vents. J'en ai eu des témoignages dignes de foi. Il arrive à cet homme – ce... Shaskath – de faire venir le beau temps, ou la pluie, sur l'île de Drahal où il habite. N'est-ce pas étonnant? Songez aux services qu'un tel homme, devenu Rêveur, pourrait nous rendre, à nous dont la flotte est à la merci des caprices de l'Océan. S'il pouvait surveiller cette flotte grâce à son rêve, détourner les tempêtes du sillage des navires, ou simplement nous avertir du temps qu'il fait au-dessus de telle ou telle partie de la mer, quelles réductions dans nos pertes, quelle efficacité accrue! Mais, dites-moi, un talent comme celui qu'il possède risque-t-il de disparaître au contact de la drogue farn?

—Au contraire, s'empressa de répondre Ftar, conscient de tomber dans l'habitude qu'il avait de donner raison à ses supérieurs. J'ai étudié la vie des Rêveurs formés au cours des siècles. Il s'est présenté à quelques reprises des personnes exceptionnelles, douées de pouvoirs étonnants. Eh bien, ces pouvoirs ont toujours été augmentés par le farn. La drogue élimine l'influence du caractère, et le Rêveur se concentre mieux, donnant ainsi un travail fiable, précis.

Le sourire de Skern à ces paroles indiqua à Ftar qu'il était déjà au courant.

—C'est donc décidé, dit Skern, le paradrouïm Shaskath sera notre premier Rêveur. Vous savez, continua-t-il, bien que vous soyez le spécialiste le plus compétent en ce qui concerne le farn, il en existe d'autres. Nous possédons la drogue, et pour cette raison notre projet sera mis à exécution, du moins dans ses premières étapes, cela que vous acceptiez ou non d'y participer. Ainsi vous n'êtes nullement responsable des agissements de notre gouvernement à l'égard du futur Rêveur. En restant avec nous, en formant un Rêveur utile pour tous, vous nous aiderez à justifier les moyens que nous prendrons pour nous assurer ses services. Finalement, j'insisterai sur un point que vous connaissez. Puisque c'est votre pays qui nous approvisionne en farn, il est hors de question que nous utilisions contre Irquiz la puissance que vous nous aurez permis d'acquérir – bien au contraire. Voilà, conclut-il. Prenez le temps voulu pour nous faire savoir votre réponse. J'espère qu'elle nous sera favorable.

Skern se leva, serra la main de Ftar qui sortit.

Alors Skern fit venir le chef de sa police.

—Il y a un homme à Drahal, dit-il quand ce dernier se présenta, qui s'appelle Shaskath et qui va devenir Rêveur.

—Le choix a donc été fait.

—Oui. Voici son dossier. Vous vous chargerez d'amener cet homme ici.

L'autre consulta le dossier.

—Il a une femme et deux jeunes enfants. Deux garçons, de un et trois ans. Qu'en ferons-nous ?

—Que suggérez-vous ?

—C'est un paradrouïm. Ils sont nombreux à Drahal. Sa femme, sachant que son mari lui est perdu à jamais, pourrait organiser quelque forme de révolte susceptible de nous nuire. Le moins qu'on puisse dire est qu'elle n'élèverait pas ses enfants dans le respect de l'État.

—Que devrions-nous faire ? L'emmener avec lui ?

—Son influence pourrait en être renforcée. Il faudrait la garder prisonnière, sans doute avec ses enfants, ce qui manque d'élégance.

—Alors ?

—Vous connaissez la réponse.

—Dans ce cas, montrez-vous discrets.

—Bien sûr. Mais nous nous assurerons qu'en temps voulu les paradrouïm apprendront que nous sommes responsables de la disparition de cette femme. La terreur ainsi produite sera à notre avantage. Quant aux enfants, à leur âge ils sont certainement récupérables. Ils accompagneront leur père. Nous leur trouverons une bonne famille, ici à la Citadelle. Ainsi nous les aurons sous la main si quelque problème se présente.

—Ce que vous proposez ne manque pas d'audace. J'y réfléchirai.

Deux jours plus tard, le chef de la police reçut l'ordre d'exécuter ce plan.

Des semaines s'écoulèrent. Ftar décida de rester : s'il rentrait maintenant dans son pays, il se trouverait peut-être sans emploi, étant donné la pénurie de farn provoquée par les achats massifs de l'Archipel. Il avait déjà traversé des périodes difficiles, vivant aux crochets de sa famille, de ses amis ; tout bien réfléchi, il ne tenait pas à ce qu'une telle situation soit provoquée de nouveau par son départ précipité de Frulken. Respecter le contrat qui l'avait fait venir ici lui permettrait, au contraire, d'être à l'aise jusqu'à la fin de ses jours et de laisser sans doute un héritage appréciable à ses enfants.

Il passa dans l'oisiveté les quelques semaines qui précédèrent l'arrivée du Rêveur à Frulken, ignorant les circonstances dans lesquelles celui-ci quitterait Drahal. Il visita la capitale sans beaucoup d'enthousiasme. Il y avait longtemps, un de ses amis avait quitté Irquiz pour s'établir ici ; Ftar se renseigna et obtint son adresse : Ségrad, qui était sculpteur de son métier, habitait une petite maison du quartier des artisans. Ravi de renouer avec Ftar après une quarantaine d'années, il lui présenta sa famille, le garda à souper, prenant soin de lui servir ce qu'il y avait de mieux ; finalement, dans la soirée, un verre à la main, ils visitèrent l'atelier.

Les grandes tables de bois étaient vides ; sur les étagères s'entassaient des figurines de pierre vert-turquoise. Ségrad en prit une pour la montrer à Ftar.

—C'est une substance très dure, expliqua-t-il. Nous pouvons difficilement produire des formes compliquées. D'ailleurs il ne s'agit pas de faire la preuve de notre virtuosité, mais de mettre en valeur la beauté de la pierre.

Il approcha l'objet de la lumière.

—Tu vois, celle-ci est à peine translucide. Elle doit venir du nord de Drahal. Le produit des carrières du sud est plus transparent. Tous les ans, je vais à Drahal avec un assistant pour choisir les blocs que nous travaillerons.

—À la Citadelle, dit Ftar, j'ai vu dans le bureau de Skern Strénid une table assez grande, faite d'une seule dalle de pierre vert-turquoise.

—J'en ai entendu parler. C'est une pièce de dimensions exceptionnelles. Le bloc d'où elle provient fut découvert il y a une quinzaine d'années. On le tailla à Drahal, pour minimiser le risque de bris pendant le transport. En guise de comparaison, regarde ces objets-ci : ils sont de taille moyenne, à peine plus gros qu'une pomme.

Ftar jeta un coup d'œil sur les étagères.

—Mais ils se ressemblent tous ! s'exclama-t-il.

—Oui. Nous fabriquons en série. C'est pour l'exportation. L'État est notre employeur ; il tient à ce que notre production se vende bien...

—Te souviens-tu, répondit Ftar avec mélancolie, quand nous étions jeunes à Irquiz : d'un morceau de bois, d'un peu de plâtre, tu créais des merveilles ! Et maintenant tu fais de petites sphères, de petites pyramides, de petits gnomes et de petits oiseaux, tous pareils, pour l'exportation !

—Eh oui, répondit Ségrad, les temps ont changé.

Il s'interrompit pour bourrer et allumer sa pipe.

—J'ai quitté Irquiz en sachant ce que je laissais. J'en avais assez de mener une vie précaire, pleine de querelles, et de me faire regarder comme une sorte de parasite incompréhensible par les gens dits normaux. Ici, j'ai un emploi sûr, je m'entends bien avec les travailleurs de l'atelier que je dirige ; ma femme vient du quartier et depuis trente ans nous sommes heureux ensemble. L'État m'a procuré le travail, il fournit l'éducation à mes enfants ; plus tard, il s'occupera de notre vieillesse.

—Tu aurais pu devenir l'un des plus grands...

—Je n'ai jamais revu Irquiz. Je me rappelle les sculptures des parcs, des palais, des édifices publics... Pourquoi l'art de cette ville exprime-t-il tant d'orgueil, sinon parce que ceux qui ont accédé à l'honneur de l'orner étaient eux-mêmes orgueilleux ? Si tu crois que le talent, l'habileté suffisent !

—Dans ce cas, tu aurais pu travailler ici, à Frulken. Cette ville est tellement laide ! La moindre de tes œuvres l'embellirait.

—Ta suggestion est celle d'un nouvel arrivant, qui ne connaît pas la mentalité du pays. L'art n'a pas vraiment de place ici. Je préfère m'harmoniser avec ce qui m'entoure.

Ftar hocha la tête et songea à sa vie à Irquiz. Pendant des années, sa femme avait été le principal gagne-pain de la famille, tandis qu'il gardait les enfants en attendant que l'on daigne l'inviter à une fête, à une orgie où il devait conseiller les convives qui choisissaient drogue ou potion susceptible de leur donner le plus de plaisir. À l'aube, un serviteur aussi humble que lui-même lui remettait ses honoraires, et il regagnait l'appartement exigu où sa famille l'attendait.

Chaque année, une rumeur naissait : cette fois-ci, la récolte de farn allait servir à un Rêveur. Ces rumeurs sans fondement furent longtemps utilisées par Ftar pour justifier sa situation : un jour, les connaissances qu'il avait acquises s'avéreraient utiles. Le temps lui fit perdre ces illusions ; par contre, grâce à son habileté de conseiller en drogues, il s'établit une clientèle sûre. Finalement, alors qu'il n'y croyait plus, l'offre du gouvernement asven lui était parvenue : un Rêveur à Frulken ! Sa femme décédée l'année précédente, ses enfants adultes, Ftar se trouvait sans obligation qui le retienne au pays. Il avait vendu ses meubles et pris le bateau pour le Nord.

Il avait beau ne pas aimer Frulken, il s'y sentait plus libre qu'à Irquiz, n'ayant pas à surveiller constamment ses paroles ou ses gestes de peur de perdre un client. Circuler en inconnu dans la ville lui plaisait. Chaque jour, il passait une ou deux heures à relire les notes qu'il avait prises, longtemps auparavant, quand il apprenait comment former un Rêveur. Ces notes le plongeaient dans les souvenirs de sa jeunesse naïve et fière, où l'idée qu'il se faisait du monde était tellement fausse qu'il arrivait à Ftar, maintenant, d'en frémir de rage.

—Que sais-tu des paradrouïm ? demanda-t-il tout à coup à Ségrad.

—Tu en as entendu parler ? Leur renommée s'étend jusqu'à Irquiz ?

—En quelque sorte.

—Leur existence est ancienne, elle remonte aux premiers temps de Vrénalik. Il y en eut de célèbres, par exemple Svail, qui a donné son nom à une baie à l'ouest de Frulken. Certains les craignent, d'autres les tournent en ridicule ; quant à moi, peut-être parce que je suis un immigrant, je me contente de ne pas les comprendre. Cependant, n'importe qui, toi ou moi, a le privilège de se déclarer paradrouïm, et personne ne mettra sa parole en doute. Inversement, n'importe quel paradrouïm peut quand il le désire redevenir un citoyen ordinaire. De l'extérieur, les paradrouïm – hommes, femmes, ou même parfois enfants – se reconnaissent par leur apparence : certains portent les cheveux longs dans une région où ce n'est pas la coutume, d'autres un manteau sombre dont le bord frôle le sol, d'autres des bijoux, des colliers. Ils vivent plutôt isolés les uns des autres et semblent n'avoir que fort peu de contacts entre eux. Mais j'ai entendu dire qu'à Drahal, où ils sont plus nombreux qu'ici, il leur arrivait de tenir des assemblées.

Ils invitent leurs enfants à ne pas fréquenter l'école – pourtant gratuite et obligatoire. Quelques-uns sont riches, mais la plupart n'ont pas d'emploi fixe. J'en ai engagé plusieurs dans mon atelier ; certains travaillaient bien, d'autres non. Ils avaient parfois de longues discussions avec d'autres employés ; je m'y suis souvent mêlé, par curiosité. J'avais toujours l'impression que ma qualité d'étranger me faisait perdre une bonne partie des subtilités du dialogue. Quoi qu'il en soit, aucun paradrouïm n'a passé plus de six mois ici ; quand ils m'informaient de leur départ, d'autres employés les suivaient, dont mon chef d'atelier, une fois, qui laissa un vide difficile à combler.

Leurs rapports avec le gouvernement et, de manière générale, avec les institutions, ont toujours été un peu tendus. Aujourd'hui, le désir de centralisation, d'uniformisation de Skern s'oppose directement à leur manière de vivre, à leur individualisme. Il y a quelques semaines, un fonctionnaire en tournée ici m'a reproché en termes couverts d'avoir procuré de nombreux emplois aux paradrouïm. J'ai aussi entendu parler de propriétaires qui refusent de leur louer un logement, et cela avec l'approbation des autorités. Raison de plus pour que je les aide, eux qui ne m'ont jamais fait de tort. Ils sont distrayants, imprévisibles...

—Crois-tu qu'ils pourraient être dangereux ?

—Ils ne sont pas organisés, ils ne contrôlent rien. Comment pourraient-ils constituer une menace pour le gouvernement ? De plus, ils ne bénéficient pas de la sympathie de la population en général, qui les considère comme des marginaux.

—J'ai pourtant entendu dire que certains d'entre eux ont des pouvoirs : ceux de guérisseur, par exemple.

Ségrad soupira en répondant :

—C'est possible. Dans la vie, certains ont des pouvoirs, d'autres ont des talents ; tous ne sont que des individus, n'ayant en somme que fort peu d'emprise sur le gigantesque mécanisme de la société à laquelle ils appartiennent. De même que toi et moi, les paradrouïm se débrouillent comme ils peuvent. S'il plaît à Skern de les désigner comme dangereux, antipathiques ou simplement ridicules, ce n'est pas parce qu'ils le sont, mais pour mieux imposer par contraste à la population un idéal de conformisme et d'efficacité. Quant à moi, cet idéal me semble tout aussi injustifié, incompréhensible, que certains propos des paradrouïm eux-mêmes.

Ftar hocha la tête. Les paroles de Ségrad ne l'étonnaient pas. Il se demanda si ce dernier n'admirait pas chez les paradrouïm l'indépendance d'esprit qu'il s'était refusée à lui-même en quittant Irquiz pour s'établir ici. Autrefois, Ftar aurait été d'accord avec lui ; maintenant qu'il s'était engagé à faire un Rêveur d'un paradrouïm, il ne le pouvait plus : toute forme d'admiration ou de tolérance à l'égard du candidat nuirait à sa tâche. La seule manière de s'en acquitter serait de réussir à préserver chez le Rêveur son individualisme et sa méfiance probable à l'égard des institutions, des rituels. Pour atteindre ce but, Ftar, rompant avec une vie entière de soumission, devrait tenter de faire sienne cette attitude.

Il prit congé de Ségrad et ne le vit que rarement pendant les années qu'il passa dans l'Archipel.

Peu avant l'arrivée du futur Rêveur à Frulken, Ftar fut mis au courant des circonstances dans lesquelles on s'était assuré ses services. En quelque sorte, cela ne le surprit pas. Il n'envisagea pas sérieusement de démissionner, il accepta au contraire de travailler dans de telles conditions. Sans espoir véritable de réussite, il résolut d'exprimer, par ses contacts avec le Rêveur et avec les gens de la Citadelle, son opposition au monde où il avait vécu, que ce fût à Irquiz ou à Frulken. Sa tâche, il décida de l'accomplir avec le plus grand soin possible, pour tenter d'y découvrir des significations auxquelles ceux-là même qui la lui avaient confiée n'avaient pas songé. Bouleversé par la mort de la femme de Shaskath, il se rendait compte qu'il n'avait rien à perdre, que les avantages personnels qui l'avaient auparavant poussé à chercher uniquement à donner satisfaction au gouvernement d'Irquiz étaient en somme dérisoires, et qu'il n'y tenait pas vraiment. Cette prise de conscience lui donnait de lui-même un point de vue qu'il ne connaissait pas, habitué qu'il était à se percevoir mesquin, enclin aux colères impuissantes et un peu ridicule. Soudain, dans la tristesse, il découvrait sa propre grandeur.

Il alla voir Shaskath le jour de son arrivée à la Citadelle. La gorge nouée, il ouvrit la porte de la pièce qu'il avait lui même choisie pour le loger. Des gardes l'accompagnaient, curieux. Depuis que Shaskath avait perdu sa liberté, on lui avait fait prendre de fortes doses de tarn. Cela, en l'engourdissant, avait facilité son voyage de Drahal à Frulken. La chambre où Ftar entra commençait à prendre l'odeur du farn.

—Il faut garder la drogue dans un récipient fermé, déclara-t-il à l'usage des gardes qui s'occupaient de Shaskath. On suffoque ici, et quelle chaleur ! Vous devriez chauffer un peu moins, ajouta-t-il en ouvrant la fenêtre.

Nerveux, il se tourna alors vers Shaskath, qui était étendu sur le lit et semblait dormir. Il chercha à déceler en lui la force qui lui manquait à lui-même, celle qu'il faudrait pour renverser Skern et sa puissance. Il l'observa longtemps, notant l'expression volontaire, concentrée, de son visage triangulaire encadré de cheveux noirs et d'une barbe en broussaille. Des mains larges et osseuses sortaient de son manteau sombre, lequel indiquait sans doute son état de paradrouïm. Soudain ses yeux s'ouvrirent, et Shaskath se leva brusquement, demeurant immobile près du mur qu'il fixait comme s'il voyait au travers.

« Il a déjà l'air d'un Rêveur », songea Ftar, fasciné.

Shaskath semblait concentré sur quelque problème à lui seul accessible, dont il allait trouver la clé d'un instant à l'autre. Un sourire illumina son visage. Il prononça quelques paroles incompréhensibles.

—Que dit-il ? demanda Ftar.

—C'est un sorcier, chuchota l'un des gardes. Il commande aux vents, aux nuages...

Ftar hocha la tête. Qu'un tel être puisse commander aux nuages paraissait possible.

Il fut tiré de ses réflexions par un jeune homme qui venait d'entrer.

—Vous êtes Ftar ? demanda-t-il.

—C'est moi.

—Je m'appelle Ser Kléndies. Il paraît que vous avez besoin de quelqu'un pour interroger le Rêveur. On m'a nommé à ce poste. Je l'ai appris ce matin.

Ftar le regarda.

—Vous savez en quoi consistera votre tâche ?

—Vaguement.

—Eh bien, asseyons-nous et discutons-en.

D'un coup d'œil Ser Kléndies désigna le paradrouïm, qui regardait toujours le mur en souriant.

—Ici ? demanda-t-il.

—Pourquoi pas ? Il faudra bien que vous vous habituiez l'un à l'autre.

—En effet, admit Ser Kléndies en s'asseyant. On m'a expliqué ce que serait le Rêveur, mais je n'ai pas saisi pourquoi il fallait subir un entraînement spécial avant de pouvoir lui poser des questions.

—Vous aimez les exposés techniques ? Voici : à vrai dire, cet entraînement n'est pas indispensable. N'importe qui peut demander un renseignement au Rêveur et recevoir une réponse. Mais cette réponse ne sera pas forcément adéquate. Des erreurs peuvent se glisser, soit dans l'interprétation que le Rêveur fait de la question, soit dans l'interprétation que l'interrogateur fait de la réponse donnée. Le Rêveur est plongé dans son rêve. Il ne cherche pas à analyser les motifs qui ont poussé à poser une certaine question et il répond de façon automatique. Pour gagner du temps et éviter les ambiguïtés, il faut s'exprimer avec précision. Ce sera votre tâche.

—Je vois. Et quand dois-je commencer ?

—Dans deux ou trois mois, probablement.

—Pourquoi pas tout de suite ?

—Parce que c'est impossible. Le futur Rêveur n'est pas prêt. Il n'écoute pas encore ce qu'on lui dit. Il faut lui laisser le temps de s'adapter à la drogue. Un jour, dans quelques mois, il sera pour ainsi dire saturé de rêves ; il désirera établir un contact plus soutenu avec le monde qui l'entoure ; il se réveillera. Nous pourrons alors lui parler de façon tout à fait normale et lui expliquer ce que nous attendons de lui. L'entraînement pourra commencer. Vous aurez fort peu de choses à apprendre, en comparaison du nombre de techniques diverses et complexes que le Rêveur devra maîtriser.

—Et s'il refuse ? demanda Ser Kléndies après un silence.

—Il sera dans son intérêt d'accepter. Sa seule passion sera le rêve. On lui apprendra à mieux manipuler ce rêve, à mieux en jouir ; pourquoi refuserait-il ? Le farn orientera ses rêves vers une objectivité de plus en plus grande, le Rêveur désirera avoir la vision de choses vraies, et je lui dirai comment y parvenir.

—Il pourra voir partout ? Lire par-dessus l'épaule des gens ? Entrer dans les chambres à coucher ? C'est un danger public !

—Non, ne vous en faites pas. Sa vision exacte sera limitée à des objets de grandes dimensions : des navires, des maisons, des nuages. Il pourra aussi sans doute percevoir sans erreur des objets de taille plus restreinte, mais qui ne changent jamais de place : les pierres d'un mur, les branches d'un arbre. Il ne pourra pas, par exemple, lire à partir d'ici un message qu'on aurait écrit pour lui à Irquiz, ou encore dire où se trouve telle ou telle personne.

— Ainsi on ne peut pas l'utiliser pour l'espionnage, ou simplement pour recevoir rapidement des nouvelles des quatre coins du monde.

— Non, à moins qu'il s'agisse de nouvelles comme l'éruption d'un volcan ou la construction d'un palais, des événements impliquant de grands changements dans l'aspect de certains lieux.

— Cela n'arrive pas tous les jours. Somme toute, votre Rêveur présente un intérêt bien limité.

Ftar soupira et répondit :

— C'est précisément la remarque que se sont faite les dirigeants d'Irquiz quand ils ont décidé de suspendre la formation de Rêveurs. Mais ici, à Vrénalik, la situation est différente : vous êtes une nation de commerçants, possédant une flotte importante. Le Rêveur pourra vous dire où se trouve chacun de vos navires, ou si une tempête se prépare dans tel ou tel secteur de l'océan. De plus, votre candidat Rêveur est déjà un sorcier, qui se spécialise, paraît-il, dans la manipulation des vents. Qui sait quel parti il apprendra à tirer de la drogue farn ?

Ser Kléndies hocha la tête.

— C'est pourtant vrai, s'exclama-t-il, je ne l'avais pas remarqué : Strénid a choisi un paradrouïm ! Il a vraiment toutes les audaces ! Je travaillerai avec un paradrouïm ! Quand je dirai ça à ma femme...

—Qu'y a-t-il d'étonnant à cela?

—C'est que les paradrouïm ne travaillent pas. Du moins les gens du gouvernement essaient de nous le faire croire. Les intéressés eux-mêmes ne s'opposent pas à cette propagande: «paradrouïm» est un ancien terme asven qui signifie témoin. Un témoin, ça regarde, ça ne travaille pas. Jusqu'à ce matin, j'étais employé de bureau du port. Les paradrouïm fréquentent cet endroit. Parfois l'un d'eux regardait à ma fenêtre tandis que j'additionnais des colonnes de chiffres et se mettait à rire.

—Leur parliez-vous?

—Jamais. Ce ne sont pas des gens comme nous. Il y en a un qui a voulu s'engager chez nous, l'an dernier. Nous l'avons refusé. Manipuler les vents, franchement...

—Croyez-vous que ce soit possible?

—Si Strénid y croit... Mais regardez ce type, dit Ser Kléndies en indiquant Shaskath, il est du même âge que moi et il s'intéresse à des trucs pareils. Quelle tournure d'esprit bizarre!

Le paradrouïm Shaskath se réveilla pour la première fois au milieu d'août. Le garde qui lui apportait son repas le trouva à la fenêtre.

—Nous sommes bien à la Citadelle de Frulken? demanda Shaskath en se tournant vers lui.

—Oui, répondit le garde, qui sortit rapidement en verrouillant la porte.

Quelques minutes plus tard, Ftar et Ser Kléndies arrivaient; on avait aussi fait avertir Skern Strénid,

qui avait exprimé le désir de rencontrer person-
nellement le futur Rêveur.

—Je vous ai déjà vu, dit Shaskath à Ftar.

—En effet, je suis souvent venu vous rendre
visite pendant ces derniers mois.

—Que m'est-il arrivé?

—Vous allez travailler pour Skern Strénid.

—Vraiment?

—Depuis votre arrivée à la Citadelle, vous êtes
sous l'influence de la drogue farn, dit Ftar en dé-
signant d'un geste la boîte qui contenait la drogue.

—J'en ai pris plusieurs morceaux depuis que
je suis réveillé, comme si je ne pouvais pas m'en
passer.

—Vous ne pouvez pas vous en passer.

—Mes mains sont engourdies, mes gestes manquent de précision, comme si je ne reconnaissais
plus mon corps. Ça aussi, c'est un effet de la
drogue?

—Oui.

Il y eut un silence.

—Il paraît que vous savez commander aux
vents, dit Ftar.

—Ainsi donc Skern Strénid prête foi à ces rumeurs! Oui, j'essaie depuis longtemps d'obtenir
de tels résultats. Mais il se peut que je doive au
hasard mes quelques succès. C'est un art très
subtil, vous savez: on devient le vent, on se con-
fond avec lui; mais il est si loin et si difficile à
comprendre...

Machinalement, il prit un morceau de farn.

—La tâche est d'autant plus dure, ajouta-t-il,
que je n'ai personne pour m'indiquer comment

faire. Je n'ai que le vent à observer, et les nuages,
le soleil... Un jour j'obtiendrai peut-être ce que je
veux, au terme d'une vie d'efforts. Mais je crois
plutôt que je n'arriverai à rien.

—Pourquoi ?

—Je n'ai plus assez de temps à consacrer à ce
genre d'activité. Mes journées sont chargées : il
faut que je travaille à la mine, pour faire vivre ma
famille...

Il s'arrêta, les yeux agrandis d'horreur. Il venait
de se souvenir.

Ils entendirent du bruit venant du corridor. La
porte s'ouvrit. Skern Strénid entra.

—Vous avez fait tuer ma femme, dit Shaskath.

—C'est exact.

—J'avais aussi deux jeunes enfants. Où sont-
ils ?

—Ici, à Frulken. Ils sont bien traités, vous
pourrez vous en assurer. Ils recevront plus tard
une éducation appropriée.

Le silence tomba. Shaskath dévisagea Strénid.

—Comment justifiez-vous vos actes ? demanda-
t-il.

—On ne vous l'a pas encore expliqué ? Grâce
à la drogue farn, vous aurez une image plus claire
des nuages que vous savez déjà diriger, vous
comprendrez mieux leur comportement, vous
saurez mieux agir sur eux. Ftar vous apprendra
toutes les techniques nécessaires. Il y en a pour
plusieurs années de travail. Au bout de ces années,
vous aurez obtenu un titre : Rêveur, et des pouvoirs
étonnants. Je compterai sur vous pour améliorer

le climat de notre Archipel, et pour surveiller les allées et venues de notre flotte.

Après un moment, Shaskath remarqua :

—Ce matin, il m'a semblé survoler la mer jusqu'à Irquiz, puis traverser les plaines, les déserts, les montagnes, vers le sud-ouest, jusqu'au Deuxième Océan. Se pourrait-il que ce que j'ai rêvé ait été ce qui existe en réalité ?

—Oui, dit Ftar.

—Au cours de ces derniers mois, j'ai fait le tour de la terre, je suis allé jusqu'au soleil et plus loin encore. Se pourrait-il que j'aie vu le monde comme il existe vraiment ?

—C'est possible.

—Ainsi, dans ce rêve causé par la drogue, si je réussis à déplacer un nuage, il se pourrait qu'un tel nuage existe et soit effectivement déplacé par l'effet de ma volonté ?

—Oui, dit Ftar, et l'entraînement que je vous donnerai visera justement à ce que cela se produise sans risque d'erreur.

—C'est incroyable !

—Cela me semble tout à fait possible, au contraire, dit Skern Strénid. Je suis convaincu du succès de cette entreprise. C'est pourquoi je me suis permis d'agir de façon brutale envers votre famille ; c'est pourquoi je ne ménage pas mes efforts et que j'attribue des sommes importantes à l'achat de la drogue farn, à l'achat des services de Ftar, à l'achat des votes des membres du conseil. Un jour vous serez Rêveur à Frulken, pour le plus grand bien et la plus grande gloire de notre pays.

Il sortit.

—Eh bien, c'est clair, dit Ser Kléndies en riant. Il ne nous reste plus qu'à exécuter ses ordres.

Ftar et Shaskath ne répondirent rien. Ser Kléndies s'en alla.

—Rêveur, dit Shaskath après un long silence. J'ai dormi pendant trois mois. Je quitte peu à peu le monde des vivants.

Il plongea sa tête dans ses mains.

—Tous ces rêves qui vous attendent, dit Ftar. Vous n'aurez pas de limites. Je vous apprendrai à lancer votre esprit avec toujours plus de précision, toujours plus loin. Rien ne vous retiendra, rien ne vous atteindra, vous vous confondrez avec le rêve.

Il en fut comme Ftar l'avait dit. Le Rêveur devint de plus en plus habile. Au bout d'un an, il lui était facile de voir avec exactitude et précision n'importe quel paysage. Par contre, la communication avec lui était malaisée quand il rêvait. Comme il ne se réveillait qu'une fois tous les deux ou trois mois, il aurait été peu pratique d'attendre ses réveils pour savoir ce qu'il avait vu dans son rêve. Il importait donc que Ftar lui montre comment garder contact avec le monde environnant, et cela quelle que soit la profondeur du rêve, tandis que Ser Kléndies oubliait ses préjugés contre les paradrouïm pour apprendre à dialoguer avec le Rêveur, à lui poser des questions adéquates à des moments propices. La plupart du temps, cependant, Shaskath était seul. Il survolait en pensée l'Archipel et ses environs, il étudiait les climats. La tâche était beaucoup plus complexe qu'il ne l'avait imaginé quand il ne disposait pas de la drogue farn pour examiner de près les formations nuageuses et les courants d'air. Il commençait pourtant à comprendre le comportement de ces systèmes et il avait bon espoir, dans quelques années, de parvenir au but que Strénid lui avait fixé. Il y travaillait activement et sans relâche.

Un an après son arrivée, sa présence à la Citadelle était connue des autres paradrouïm et suscitait chez eux une vive inquiétude. Ils décidèrent même – ce qui était très rare – de se réunir à ce sujet. Au terme de cette assemblée, qui s'était tenue à l'île de Drahal, on résolut d'envoyer quelqu'un à Frulken pour demander à Shaskath d'abandonner son poste. Son épouse avait été tuée par ordre du chef d'État ; qu'il accepte dans de telles circonstances d'être au service de ce même État paraissait à tous une aberration.

Joril, qui avait été l'un de ses amis, fut choisi pour cette mission. Il accepta sans enthousiasme. Laissant sa femme et ses quatre enfants à Drahal, il prit le bateau pour Frulken. Peut-être s'y ferait-il incarcérer par la police de Strénid, ou même pire. C'est avec appréhension qu'il se rendit à la Citadelle.

Là-bas, contrairement à ses craintes, on le traita avec civilité. On lui fit voir Shaskath en train de rêver ; il put parler avec Ftar, qui lui expliqua la situation ; on l'assura qu'il rencontrerait Shaskath quand celui-ci serait réveillé.

Joril dut patienter un mois avant cette entrevue. Il ne s'était pas préparé à un tel délai ; il dut accomplir des travaux d'entretien à l'auberge où il logeait pour pouvoir y payer son séjour. Sceptique, il n'était qu'à moitié convaincu par les informations qu'on lui avait données à la Citadelle. Que son ami devienne Rêveur au moyen d'une drogue et d'un entraînement lui paraissait improbable. En lavant des planchers, en époussetant les meubles de l'auberge, il se demandait quand il reverrait sa famille ; il lui était difficile de ne pas interpréter ce qui lui arrivait comme une plaisanterie douteuse, venant soit des gens de la Citadelle, soit de l'assemblée des paradrouïm elle-même. Pourtant il n'osait pas abandonner : il aurait à répondre de ses actes devant cette même assemblée, qui serait de nouveau convoquée à son retour. Ftar, quand il l'avait rencontré, ne lui avait pas donné l'impression d'être un jouet irresponsable dans la main de Skern. Un tel homme avait des raisons, faciles à imaginer, de mentir aux Asven sur les possibilités réelles du Rêveur. Que Shaskath soit tout simplement dévoré par des rêves inutilisables, détruit comme tant d'autres par une drogue, qu'il soit en train de perdre la raison à l'insu des autorités de Frulken, ou peut-être avec leur complicité, tout cela semblait plausible à Joril. Selon Ftar, si le Rêveur avait été à un stade ultérieur de sa formation, il aurait pu se réveiller quand on le lui demandait ; pour le moment, il n'était pas suffisamment habile. Explication boiteuse, songeait Joril en attendant qu'on daigne le convoquer à la Citadelle comme on lui en avait donné l'assurance.

Un jour, enfin, on vint le chercher. Le Rêveur était prêt à le recevoir. Joril prit place, avec une certaine surprise, dans une calèche rouge aux armes de Vrénalik, qui le fit monter à la Citadelle. On le conduisit par un dédale de corridors à une grande salle basse aux nombreuses colonnes. Avant d'entrer, il aperçut Ftar, qui le salua de loin. On ferma la porte derrière lui.

Il lui sembla d'abord que la salle était vide. Il s'arrêta, la regardant. Durant les semaines troublées qu'il venait de vivre, il lui avait été difficile d'exercer le talent qui lui avait valu sa réputation auprès des autres paradrouïm. Ce talent était celui de symboliste. Il savait comprendre l'atmosphère d'un moment de la journée en remarquant des détails qui auraient normalement échappé à l'attention : l'équilibre entre certaines formes, l'agencement des couleurs, la qualité des sons. Il aurait pu utiliser cette aptitude pour prédire l'avenir, en prolongeant dans le futur les tendances qu'il voyait se dessiner dans le présent. Ce n'était cependant pas le but qu'il visait. Il appliquait plutôt son art à mieux apprécier les rythmes subtils de la vie et à en faire jouir quiconque en manifestait le désir.

À présent, se recueillant dans la salle fraîche, il sentit son talent pour ainsi dire s'emparer de lui. C'était une sensation agréable, semblable à celle qu'aurait un voyageur incertain du chemin à suivre, qui, la nuit, verrait les nuages se déchirer et les constellations apparaître pour lui permettre de s'orienter avec sûreté. Dans cet état d'esprit, le carrelage du sol attira son attention : des dalles noires et blanches. « Comme c'est approprié, songea-t-il. Voici le noir, représentant la mort, l'éternité, le vide ; et à côté le blanc, lumière et mouvement. Ma présence ici m'associe au blanc. Celui que je vais rencontrer – vais-je le reconnaître ? – a choisi le noir. Quelles puissantes colonnes soutiennent le plafond de cette salle ; on y cacherait facilement un dispositif permettant d'écouter nos paroles. Ce n'est pas pour moi une menace ; je ne possède de toute façon d'autre stratégie que ma propre sincérité. Il est probable que, devant tant d'innocence, les policiers de Skern ne m'importunent nullement, convaincus de ma maladresse et de l'échec de ma mission – ce en quoi ils auront peut-être raison, d'ailleurs. »

D'un pas lent, il commença à traverser la salle, cherchant où Shaskath pourrait se trouver. Les épaisses colonnes l'empêchaient d'avoir une vue d'ensemble. Le silence était total ; involontairement, Joril essaya de faire lui-même le moins de bruit possible, glissant ses chaussures à semelle de feutre sur le sol de pierre polie. L'aspect des lieux changeait continuellement, comme de nouveaux corridors étaient déterminés par l'alignement des colonnes et la position de Joril par rapport à elles.

Finalement, il arriva à un mur, dans lequel quelques fenêtres avaient été percées. Accoudé à l'une d'elles se trouvait Shaskath, qui se tourna vers Joril quand celui-ci s'approcha. Ils se regardèrent un moment. Joril remarqua que son ami semblait plus calme, plus sûr de lui, qu'à l'époque où il habitait Drahal. Lui-même, il s'en doutait, avec ses habits froissés, sa tête un peu hirsute, ne devait pas donner l'image de quelqu'un qui commande le respect. D'ailleurs le but de sa venue n'était-il pas de quémander une faveur ?

—L'assemblée des paradrouïm s'est réunie récemment et m'a délégué ici, dit-il.

—Une assemblée ? Vous vous êtes réunis en mon honneur !

L'assemblée précédente avait eu lieu une cinquantaine d'années auparavant et s'était terminée par des querelles.

—Je ne suis pas venu ici par plaisir, reprit Joril. On m'a choisi parce que je te connais. Je suis chargé de te mettre au courant de notre situation.

—Mauvaise, comme d'habitude ?

—Pire que d'habitude. À cause de toi, peut-être.

—Allons donc.

—De quel droit, dit Joril en cédant à la colère, portes-tu encore un manteau qui t'identifie comme étant l'un des nôtres ? Ta conduite est pourtant inqualifiable : au service de Skern, du meurtrier de ta femme ! Partout dans l'Archipel, on annonce que tu es ici de ton plein gré. Un paradrouïm à la Citadelle : nous voilà ridiculisés.

Shaskath haussa les épaules.

—Skern te fait sans doute parader à ses côtés, continua Joril, se servant de toi pour manifester sa puissance. Il t'a apprivoisé, et, pendant ce temps à Drahal, on nous chasse de nos maisons sous prétexte que le sol qui les porte est riche en minerai.

Tu sers l'État corps et âme, tandis que tes enfants comme les miens, dans les écoles comme dans les rues apprennent que nous, paradrouïm, sommes des êtres désuets, inutiles à moins qu'ils n'acceptent les emplois que le gouvernement leur réserve. Rompre tes liens avec lui t'est, je le suppose, impossible : tu n'es pas l'homme que j'ai connu, tu es asservi à la drogue farn, ta volonté a été brisée. Enlève au moins ton manteau de paradrouïm, pour que l'on dissocie ton destin du nôtre. Voilà ce qu'on m'a chargé de te demander.

— Belle rhétorique, commenta Shaskath. Je ne vois cependant pas quel avantage vous trouveriez à ce que j'agisse ainsi. Cela apaiserait-il la haine que Skern vous porte ?

— La situation serait plus claire. En te pliant à la recommandation de l'assemblée, tu nous manifesterais ton appui et tu retirerais une arme à Skern.

Il y eut un silence.

— De quel droit me dicteriez-vous ma conduite ? demanda Shaskath. Pourquoi nous montrerions-nous aussi solidaires ?

— Nous sommes menacés. Nous devons nous unir.

— Nous unir ? Nous deviendrions semblables à ces autres hommes qui défendent leurs biens, leur culture, leurs coutumes. Nous cesserions d'être des paradrouïm.

Il continua, plus lentement :

— Nous sommes les témoins du monde, tu le sais aussi bien que moi. Quelle valeur aurait le témoignage si les témoins étaient unis ?

—Quelle valeur a le témoignage si le témoin est asservi à Strénid ? Si sa survie dépend d'une drogue qui déforme sa personnalité ? Ton existence présente est monstrueuse, c'est une insulte à la vie, c'est une erreur.

—Ta colère ne me touche pas. Quand je rêve, c'est la réalité que je vois. On ne saurait être plus objectif. Je suis le témoin par excellence, dit Shaskath avec un sourire.

Après un silence il reprit :

—Nous vivions à Drahal. Tu étudiais tes symboles et tes livres anciens ; j'essayais de manier mes nuages. Nous discutions ensemble et nous critiquions le gouvernement. Tu étudies toujours, quand ton travail et ta famille te le permettent ; je fais partie du gouvernement. On m'a donné des outils que je n'aurais jamais pu obtenir seul. Grâce à eux je vais pouvoir manier les nuages ; déjà j'ai des résultats. J'écarterai les tempêtes, je ferai venir la pluie sur les récoltes. Je serai utile.

Il regarda Joril pour déclarer :

—Nous servions à peu de chose. Ce que nous recherchions, c'était quelque sagesse qui nous aurait permis d'être en paix avec nous-mêmes. Ta recherche, tu la poursuis tant bien que mal. Quant à moi, l'importance que j'aurai me fait oublier le reste. Grâce à moi, des gens vont vivre.

Joril recula.

—Tu parles comme Strénid : des gens vont vivre ! Comment vivront-ils ? Quelle qualité aura leur vie ? Tout cela prend racine dans la mort de ta femme ; quel bien pourrait-il en sortir ?

—Je m'attendais à ce que tu ne comprennes pas, dit Shaskath. À ta place, j'aurais sans doute fait de même : l'horreur de l'assassinat m'aurait empêché de saisir le reste. La drogue, c'est exact, m'a transformé et me permet de considérer la situation avec la lucidité nécessaire.

Joril dévisagea Shaskath.

—J'ignore à qui je viens d'adresser la parole, déclara-t-il enfin. Je ne sais quels arguments invoquer pour que tu te rendes compte de ton erreur. Je croyais pouvoir garder mon calme en te rencontrant ; mes éclats de voix furent provoqués par l'inquiétude qui m'habite, et par le désarroi de ne pas te trouver tel que je t'ai connu.

Plus doucement, il ajouta :

—Un mot encore, avant que je m'en aille. Je quitterai sans doute bientôt Drahal, pour m'établir avec ma famille dans un endroit où l'attention de Skern se fera moins sentir. D'autres sont déjà partis. Nous abandonnons Drahal à ceux qui creusent le sol. Ainsi, ni toi ni moi ne pouvons revenir en arrière. Adieu, Shaskath.

—Adieu.

Joril s'en alla, ses chaussures de feutre chuintant sur les dalles. Il sortit de la Citadelle, passa à l'auberge prendre ses bagages et se rendit au quai attendre le bateau pour Drahal. Perdu dans ses pensées, il ne parla pour ainsi dire à personne jusqu'au moment de l'assemblée des paradrouïm, une semaine plus tard.

La première assemblée à laquelle il avait assisté n'avait pas été pour lui un événement important. Elle s'était tenue un après-midi, et Joril connaissait en majeure partie les participants, qui étaient une trentaine et venaient tous de Drahal. Cette seconde assemblée, par contre, eut lieu le soir. Des paradrouïm de Vrénalik, de Strind et même de l'île de Vrend se déplacèrent pour l'occasion. Joril fut l'un des derniers arrivés. On avait allumé un grand feu, autour duquel une centaine de personnes étaient assises en cercle.

Le silence s'établit peu à peu. Sur un signe de l'un des organisateurs, Joril se leva et s'approcha du feu pour donner son témoignage. En relatant le plus fidèlement possible son voyage à Frulken, il était si pénétré par la gravité du moment qu'il dut s'interrompre à quelques reprises, butant sur des mots, incapable de terminer la phrase commencée. Il lui semblait ne pas s'adresser uniquement aux personnes présentes, mais aussi aux paradrouïm du passé et de l'avenir, de Drahal et d'ailleurs, dont il avait l'impression d'apercevoir les plus puissants et les plus sages, survolant les flammes et souriant en le regardant. Emporté par sa vision, il crut même distinguer Shaskath parmi ceux-là, et quand il termina son récit, il s'effondra dans l'herbe, anéanti par ce qu'il venait de comprendre.

Il se releva plus tard et vit des paradrouïm, hommes et femmes venus l'entendre, défiler un par un devant le brasier et y jeter qui son long manteau, qui son collier, qui ses cheveux coupés à la hâte. Il ne servait à rien de s'opposer maintenant à la volonté de Skern.

Joril rentra chez lui, perplexe, n'ayant rien jeté dans les flammes. Sa femme avait déjà commencé les préparatifs du départ; il se joignit à elle.

Un mois plus tard, Joril et sa famille quittèrent Drahal pour s'établir en un endroit reculé de l'île de Strind. D'autres paradrouïm se réfugièrent dans les forêts, dans les déserts. Certains choisirent l'exil, partant pour le pays Hanrel ou pour le Sud. La plupart, cependant, se découragèrent et cherchèrent à réintégrer le reste de la population, avec plus ou moins de bonheur.

Strénid se réjouit de ce changement :

« Nous n'aurons plus à souffrir leurs questions sans réponse, leurs fables insignifiantes, leurs journées passées à méditer, leurs tâches impossibles. Certains mendiaient pour vivre ! Nous ne pouvions tolérer ces oisifs. »

Tandis que l'emprise de Strénid s'affermissait sur l'Archipel, et que la force de Vrénalik faisait l'étonnement du monde, Joril et sa famille subsistaient des produits de la terre et de la pêche. Si la pointe nord-est de l'île de Strind était demeurée inhabitée, c'était que le poisson y était rare et le sol pauvre. Une forêt clairsemée s'étendait jusqu'à la grève ; il fallut défricher et construire de quoi se loger. Quelques autres familles vinrent s'établir dans les environs, fuyant elles aussi la domination de Strénid. Au bout de trois ans, la population de la pointe s'élevait à une vingtaine de personnes. Elle demeura à peu près stationnaire. La vie s'organisa ; chacun s'habituait à ses nouvelles tâches.

« La sécurité dont jouissent ceux qui se plient aux lois de Strénid, nous ne l'avons plus, songeait

Joril. Nous sommes à la merci des éléments, nous ne pouvons compter que sur nous-mêmes pour nous protéger des coups du hasard, situation à laquelle rien ne nous avait préparés. Strénid accorde de multiples avantages à ceux qui le suivent, mais il demande trop d'obéissance en retour. Je ne pouvais me soumettre à lui ; mon refus, je l'ai fait partager aux miens.

« Ma femme y consent. Mes enfants l'accepteront-ils aussi quand ils seront en âge de comprendre ? Mon attitude les contraint à mener une vie plus dure qu'à Drahal ; s'ils tombent malades, il n'y a pas de médecin pour les soigner ; s'ils désirent un jour vivre à la ville, ils seront mal préparés à cette existence, et s'y adapteront sans doute avec difficulté. Je suis marginal par choix ; ils le seront par nécessité et, toute leur vie, ils auront à subir les conséquences de mon orgueil. L'autre possibilité était que je courbe le front comme les autres, et qu'ils suivent mon exemple dans la poussière envahissante de Drahal. Ici, pour le moment du moins, nous sommes plus heureux qu'à Drahal.

« Le reste de l'Archipel ignore notre existence – nous ignorons la sienne. Les paradrouïm étaient les yeux et la conscience du pays. Ces yeux se sont fermés, cette conscience ne contemple plus qu'elle-même. Le vide que nous avons laissé sera comblé tôt ou tard. Qui regardera à notre place ? Quels jugements seront portés ?

« Nous nous contentions d'être témoins, sans jamais prendre part. D'autres ne désireront-ils pas agir ? Le monde de Strénid est si clair ! Tout y trouve son usage, chaque talent est mis à contribution. C'est à peine si, de temps à autre, quelque éclaboussure de sang rehausse cette blancheur, et le rouge n'est-il pas, comme le blanc, une couleur joyeuse ? Ceux qui verront ce monde, qui verront cet ordre, établi parfois au moyen de l'injustice, mais maintenu pour le bien du plus grand nombre, ceux là n'auront-ils pas envie d'y introduire le chaos ? Quand chaque vague de la mer ne déferlera sur la plage qu'avec la permission du Rêveur, quelles forces obscures ne s'accumuleront pas à l'horizon ? »

Ces années d'exil, tout comme celles qui les avaient précédées, étaient dures. Pour trouver le courage de surmonter les nombreuses difficultés, Joril se mit à l'étude de certains textes anciens qu'il avait emportés et qui relataient la vie des premiers paradrouïm. À la fin d'une nuit passée en partie à méditer sur Svail, l'un des plus anciens et des plus connus d'entre eux, Joril sortit faire une courte promenade avant d'entreprendre sa journée de travail. Il s'arrêta sur le rivage, saluant le soleil qui se levait loin devant, et soudain il aperçut une silhouette au bout de la grève de marée basse. Cette silhouette était celle de Svail lui-même, surgie du monde des visions pour se manifester à lui.

Abruptement, Joril se vit à la place de l'un des compagnons auxquels le maître venait de faire ses adieux, leur donnant ses vêtements et tout ce qu'il possédait. Nu, voûté par la vieillesse, il s'éloignait, marchant dans la vase et les algues.

Alors que Svail allait atteindre l'eau, Joril releva la tête : un énorme oiseau noir, deux fois plus grand qu'un homme, passait au-dessus de lui et il lui sembla sentir le vent de ses ailes. La clarté de l'aube faisait luire ses yeux, la corne de son bec et ses serres. Il s'abattit à côté de Svail. Celui-ci, tous le savaient, aurait pu l'apaiser, comme cela s'était produit en d'autres circonstances. Cette fois-ci, il s'en abstint.

Pendant un moment, homme et oiseau se firent face, leurs silhouettes se découpèrent contre l'eau et le ciel rougeoyants. Puis l'oiseau se jeta sur Svail avec sauvagerie, les deux roulèrent l'un sur l'autre à plusieurs reprises, en une sorte de danse qui s'arrêta quand l'oiseau étendu sur sa victime lui déchira le corps. Les ailes de l'oiseau se déployèrent, irisées par la clarté grandissante, et se mirent à battre. L'oiseau repartit seul, son bec rougi par le sang de Svail mort dans l'eau de la marée montante.

Joril le regarda s'éloigner, puis il baissa les yeux vers la grève. Svail avait disparu. Joril comprit alors le sens de sa vision : en certaines circonstances, il convient que les témoins cèdent la place à des êtres capables de détruire. Dès lors, Joril eut la certitude que les jours de la puissance asven étaient comptés.

« Ailleurs, pensa-t-il, Svail et l'oiseau volent ensemble, ne faisant plus qu'un. Mais ici le fruit rouge de la douleur, le soleil, apparaît déjà. Une journée de plus commence, dans la fatigue et dans l'isolement. »

Les années passèrent. Le Rêveur devenait sans cesse plus habile. Son maître, Ftar, six ans après son arrivée à Frulken, annonça à Strénid que son travail était terminé et qu'il rentrait à Irquiz. Depuis une quinzaine de mois, le Rêveur avait commencé à agir sur le climat de l'Archipel et de la mer Intérieure. Les armateurs étaient ravis : les bateaux arrivaient au jour prévu, et aucune tempête ne risquait de les atteindre. Les digues autour de Drahal étaient devenues presque inutiles, des vagues toujours paisibles se contentant d'en lécher le pied. Les récoltes étaient abondantes, une quantité appropriée de pluie et de soleil leur parvenait. Le Rêveur surveillait et réglait tout cela avec calme. Si on lui parlait, il répondait dans des délais raisonnables. Il était fiable, précis, et chacun était satisfait de son travail.

Avant de rentrer dans son pays, Ftar alla le trouver une dernière fois. Il s'approcha de Shaskath immobile, perdu dans son rêve, ne voyant rien devant lui.

—Accordez à mes paroles l'attention qu'il vous plaira, dit Ftar. Je pars demain pour Irquiz. Je suis venu vous faire mes adieux.

—J'en prends note, répondit Shaskath d'une voix distraite.

—Fort bien. Je n'ai rien à vous cacher, puisque nous nous quittons. Je vais m'efforcer d'être le plus clair possible. Vous êtes d'une certaine manière mon œuvre.

—Je ne le nie pas.

—Ma seule œuvre. Qui me satisfait.

Il toucha le dos de la main de Shaskath. Depuis que celui-ci prenait du farn, sa peau était devenue plus sombre et plus rugueuse.

—Sentez-vous ce que je fais?

—Vous touchez ma main droite. Je ne le sens qu'à peine.

—Dans quelques années, vous ne le sentirez plus; d'autre part, depuis longtemps vous n'éprouvez plus de désir sexuel. Ainsi, graduellement, votre corps se racornit et vous devient aussi indifférent qu'un bout de bois, à mesure que vous vous habituez au monde du rêve. Je ne vous apprends rien en vous disant cela. N'oubliez cependant pas de prendre soin de ce corps, qui constitue votre lien avec le monde du réveil. La beauté du jeu dépend d'une oscillation harmonieuse entre rêve et réveil.

Shaskath ne répondit rien.

—Je sais, insista Ftar, que vous n'avez que mépris pour le monde du réveil tel qu'il se manifeste actuellement. La Citadelle de Frulken et ceux qui l'habitent n'ont pour vous aucun attrait. Votre attitude ne m'étonne pas: j'aurais pu vous la transmettre moi-même. Que cela cependant ne vous fasse pas négliger vos contacts avec l'extérieur. Qui sait, la situation pourrait évoluer. À temps perdu, à défaut de vous réveiller, exercez-vous à vous rêver vous-même, afin que la connaissance ainsi obtenue vous permette d'exercer vos facultés au meilleur de votre jugement.

À nouveau, Shaskath garda le silence.

—Certaines personnes, commenta Ftar, prétendent que la drogue farn affaiblit la volonté. Au début de votre entraînement, vous teniez tant à la drogue et au rêve que l'on aurait pu utiliser cet attachement pour vous faire accomplir des choses qui vous auraient déplu. Cependant, vous constaterez désormais qu'on ne peut plus vous manipuler ainsi : vous êtes responsable de vos actes. Dans quelques années, vos besoins en farn vont diminuer et se stabiliser au quart de ce qu'ils sont maintenant. Le surplus de drogue pourrait servir un jour à la formation d'un autre Rêveur, que votre assistant Ser Kléndies initierait au métier.

Il considéra son interlocuteur pour ajouter :

—Cette éventualité ne semble pas vous enthousiasmer. Le fait est que l'on ne réussira probablement pas à mettre de nouveau la main sur un candidat aussi prometteur que vous l'étiez. Votre successeur, s'il y en a un, sera sans doute d'un type plus conventionnel. Strénid est au courant et veillera, je l'espère, à vous confier des responsabilités telles que votre disparition sans remplaçant ne suscite pas trop d'inconvénients.

—Nous verrons, dit Shaskath. Ce n'est pas de ma compétence.

Ftar le regarda avec curiosité.

—Je croyais au contraire, dit-il, que vous vous y intéressiez. Vous n'êtes pas entièrement ma créature, loin de là. Une grande partie de vous m'échappe. Comment ai-je pu, par exemple, vous enseigner des techniques de rêve que je n'ai jamais expérimentées, sinon parce que vous m'êtes en quelque sorte étranger et que vous avez compris mieux que moi-même les instructions que je vous donnais ?

Le silence tomba.

—En fait, dit brusquement le Rêveur en regardant Ftar, nous nous rejoignons par la haine.

L'étrangeté de la remarque surprit Ftar.

—De Skern ? demanda-t-il.

—De nous-mêmes.

Ftar baissa les yeux, se souvenant de sa jeunesse.

—On fait des concessions, remarqua-t-il, et un jour on s'aperçoit qu'on en a trop fait, qu'il ne nous reste plus rien de notre projet initial, et qu'on ne peut pas revenir en arrière. D'où la haine. C'est ce dont vous parlez ? Voyez-vous, dans mon cas, la haine n'est plus que l'ombre de ce qu'elle était ; je la reconnais clairement comme une manifestation d'un désir de libération ; or, encore quelques années et je serai mort : voilà la seule libération qui soit à ma portée, et elle ne tardera pas.

Quand il regarda de nouveau Shaskath, celui-ci, qui s'était réveillé un instant pour lui parler, avait repris son rêve. Ftar s'en alla.

Le Rêveur resta seul, à étudier les vents, à se confondre avec eux. Chaque jour son emprise se faisait plus subtile. Son existence était consacrée au rêve. Malgré les conseils de Ftar, il mettait rarement en question la moralité des ordres qu'il recevait, prêt à tout pourvu qu'on le laisse rêver. Mais il devait se réveiller deux ou trois fois par année, et se trouver malgré lui, pendant quelques jours, enfermé dans ses souvenirs, prisonnier de son corps, de la Citadelle, de la ville de Frulken. Il se voyait dépendant de la drogue farn, serviteur de Skern Strénid. Il avait peine à supporter cet affrontement avec lui-même et souhaitait que le rêve de nouveau s'empare de lui pour pouvoir s'y perdre.

Inalga de Bérilis

Inalga de Bérilis est un personnage étrange. À Vrénalik, elle laissa l'image d'une femme pâle, impitoyable, d'une exceptionnelle beauté, qui s'allia au Rêveur pour déchaîner les forces de l'Océan sur l'Archipel, causant ainsi la chute de la puissance asven. À Ourgane, par contre, où elle passa la plus grande partie de sa vie, on garde d'elle le souvenir d'une dame très douce, souriante et dévouée, qui fonda un orphelinat et se consacra aux enfants. Une rue porte son nom et on honore encore sa mémoire plusieurs siècles après sa mort.

Bérilis, sa patrie, est une ville sur le fleuve Van, loin au sud d'Irquiz. La région est riche en blé et exportait, du temps de Skern Strénid, une partie de sa production à Vrénalik. Pour cette raison, plusieurs commerçants asven étaient venus y vivre, et ils faisaient bon ménage avec la population locale. Le père d'Inalga était l'un de ces commerçants ; arrivé à Bérilis dans sa jeunesse, il y avait pris femme. De cette union naquirent deux fils et une fille aux cheveux blonds. On apprit à ces enfants la langue asven et les coutumes du pays de leur père, pays dont on leur parlait souvent en termes élogieux.

Quand Inalga eut dix-huit ans, à Vrénalik, Skern Strénid en avait quarante-cinq. Il avait déjà plusieurs épouses, et leur nombre augmentait chaque année. Elles remplissaient le rôle de courtisanes : avoir droit aux faveurs d'une épouse de Strénid était un honneur. Le mariage à Vrénalik était d'ordinaire une institution monogame, où les époux étaient liés par une certaine fidélité l'un à l'autre. Cependant, la loi asven était à cet égard assez vague. Rien n'interdisait à un homme de prendre plusieurs femmes ou à une femme d'avoir plusieurs époux. Du moment qu'il y avait consentement mutuel, et que l'intérêt des enfants était respecté, tout était permis, y compris bien sûr la rupture du mariage. Dans le cas d'un ménage sans enfant, il suffisait que l'un des conjoints le désire pour que le mariage soit annulé.

La tradition ainsi que des considérations telles que l'exiguïté des logements poussaient la grande majorité de ceux qui se mariaient à ne prendre qu'un seul conjoint. Toutefois, personne n'aurait songé à critiquer Strénid pour le nombre de ses épouses : il pouvait les entretenir et subvenir aux besoins de leurs enfants. À vrai dire, c'est à même les impôts que femmes et enfants étaient logés et nourris mais, à cause de la prospérité du pays, cette situation ne paraissait pas injuste. Et de toute façon personne ne songeait sérieusement à critiquer Skern Strénid sur quelque sujet que ce soit : il était bien connu qu'il savait faire taire l'opposition.

Il ne manquait pas de fonctionnaires, de soldats, de travailleurs dignes de l'honneur de devenir – pour une nuit, un mois, un an, l'amant d'une épouse de Strénid. Pour satisfaire cette demande, ce dernier augmentait le nombre de ses femmes ; le fait est qu'il cultivait la réputation de ne pas hésiter lui-même à profiter de leurs charmes.

Toutes les couches de la société étaient représentées par ces épouses. Quand elles furent une quinzaine, on envisagea la possibilité que Strénid choisisse à présent une étrangère, afin d'ajouter à la diversité et d'affermir certains liens diplomatiques. Irquiz et les grandes villes de la côte étaient hors de question : on y était trop orgueilleux, on y méprisait trop Vrénalik. On songea à Bérilis, dont les intérêts avaient toujours concordé avec ceux du pays. On envoya là-bas une délégation. Le nom d'Inalga fut retenu : la jeune fille de dix-huit ans était belle, aimable, et parlait couramment l'asven. Elle refusa, cependant, d'accorder son consentement sans avoir jamais vu son futur époux. Une telle attitude ne surprenait pas et ne créait aucun problème : Strénid était bien établi au pouvoir, il avait sous ses ordres une équipe expérimentée, il pouvait se permettre de quitter le pays pour quelques mois. Son passage à Irquiz et à Bérilis serait l'occasion de la conclusion d'accords commerciaux. Le voyage se déroulerait en sécurité : il y avait alors un an que Ftar était rentré à Irquiz, le Rêveur se trouvait en pleine possession de son art, et aucune tempête ne pourrait mettre en péril la vie de Strénid.

On décida que ce voyage aurait lieu en été et on se mit à le préparer. Dès lors, le consentement d'Inalga était acquis : il aurait été en effet fort mal vu qu'elle refusât sa main à un homme aussi puissant venu de si loin pour elle. Elle ne songea pas un instant à refuser, éblouie qu'elle était par Skern. Le mariage fut célébré à Bérilis, dans l'allégresse générale, et Inalga, que l'on avait informée au préalable des fonctions qu'elle remplirait à Frulken, devint la dix-huitième épouse de Skern Strénid.

Elle put jouir au départ d'une situation privilégiée : Skern mit quelques mois à rentrer au pays, et elle était la seule de ses femmes à l'accompagner dans ce voyage. Cela, joint au fait qu'à Bérilis les conjoints se juraient fidélité, fut peut-être à l'origine du malentendu entre Inalga et Skern. La jeune fille savait, bien sûr, qu'une fois à Frulken, Skern aurait beaucoup moins de temps à lui consacrer, mais les circonstances la poussaient à oublier ces réalités dont on lui avait parlé. Elle l'aimait passionnément. Il était au faîte de sa gloire – elle n'était qu'une innocente jeune fille, ne possédant rien d'autre que son amour. Skern était flatté d'une telle attention ; il y répondait par des mots d'amour. Pour lui, ce n'était qu'une distraction faisant partie des plaisirs du voyage ; pour elle, c'était plus sérieux. Il s'en rendait compte, mais il ne s'en souciait guère : à Frulken, on trouverait à Inalga un amant de son âge et elle conserverait ainsi sa joie de vivre.

Cela, pourtant, ne se produisit pas. Inalga sembla s'adapter assez bien à la vie de la Citadelle, mais elle ne s'attacha à aucun des jeunes hommes dont elle fit la connaissance. Elle se montrait aimable avec les autres épouses de Skern, ainsi qu'avec les amants qu'on lui demandait d'avoir, mais elle les traitait tous avec détachement. Elle ne vivait que pour Skern Strénid. Celui-ci espaçait ses visites : toutes les deux semaines, puis toutes les trois semaines, puis une fois par mois. Il se montrait distant, distrait. Inalga n'osa tout d'abord protester, pensant que son amour, son charme, renverseraient cette situation. Il n'en fut rien. Elle se décida à se plaindre. Elle comprenait qu'il eût peu de temps à lui consacrer et elle ne lui en faisait nul reproche. Par contre, elle acceptait mal le manque de profondeur des rapports qui existaient entre eux. Elle aurait voulu se confier à lui et qu'il se confie à elle : n'étaient-ils pas mari et femme ? Les tentatives qu'elle faisait en ce sens se heurtaient à l'indifférence de Skern. Il la voulait sans cesse enjouée ou désirable. Il n'avait pas envie de savoir qui elle était et encore moins de parler de lui-même. Elle jugeait cette attitude insultante. Elle devint agressive :

— Je me mets à votre service. Vous refusez ce don que je vous fais !

—Au contraire. Je ne vous demande rien de plus que d'être belle et souriante. Il se peut que cette tâche – dont vous vous acquittez d'ailleurs fort bien – soit trop légère pour vous. Elle est cependant adaptée à nos besoins. Si vous désirez des activités supplémentaires, nul ne s'y oppose.

—Je suis votre femme.

—Vous êtes l'une de mes épouses.

—Peu importe les autres, c'est de moi qu'il s'agit. Nous nous sommes engagés à ne former qu'un seul corps, qu'un seul sang. Notre amour devrait nous transfigurer, nous fusionner. Mais l'amour que j'ai pour vous ne rencontre que le vide.

Skern regarda à terre et dit finalement:

—Votre conception des choses diffère assurément de la mienne. C'est regrettable. Mais vous êtes ici chez moi, vous devrez vous adapter. Une génération nous sépare, qu'aurions-nous de si précieux à partager? Quelles expériences? Nous vivons dans des mondes différents. Je serai franc: cette mise en commun des sentiments, des pensées, que vous proposez, me déplaît. Je n'ai pas l'intention de m'y soumettre. Je vous demande de respecter mon intimité comme je respecte la vôtre.

Elle ne répondit rien, mais elle baissa les yeux et sortit. Un an s'était écoulé depuis leur mariage. Elle descendit à la grève pour pleurer en silence. «Il m'a délibérément induite en erreur, songeait-elle avec rage. Il voyait que j'interprétais mal la situation, mais il ne faisait aucun effort pour dissiper l'ambiguïté dans laquelle il se complaît. Je ne puis rentrer chez moi: cela créerait un incident diplomatique, les miens ne voudraient plus m'accepter. Je dois rester.

«Comment ai-je pu me tromper sur son compte pendant une année entière? Il m'a touchée, caressée avec tendresse. Nous nous regardions dans les yeux et je pensais: "Tant de gens le craignent et lui s'abaisse à me prendre par la main, à me sourire. Qu'y a-t-il en moi de si étonnant?" Justement il n'y avait rien! C'était un jeu dont il

avait négligé de m'apprendre les règles. Je l'aurais lu dans le regard de ses collaborateurs, de ses
autres épouses, si j'y avais prêté attention. Je
prenais leur mépris à mon égard pour de l'envie !
Ce mépris était cependant réel : tous s'attendaient
à ce qu'une jeune fille inexpérimentée comme
moi succombe au charme de Skern Strénid, tous
s'attendaient à ce que le luxe de la Citadelle
m'éblouisse, tous s'attendent maintenant à ce que
je choisisse un amant adéquat. Serais-je aussi
prévisible ? Devrais-je éprouver aussi ce mépris
de moi-même ? »

Dans sa confusion, Inalga mit encore quelques
mois à se séparer de Skern. Quand il lui rendait
visite, ils ne parlaient que de choses anodines.
Par contre, elle se mit à le suivre dans ses allées
et venues à la Citadelle. Elle agissait avec discré-
tion, tout en sachant qu'il se rendait compte de
son manège. Elle ignorait quel but elle désirait
ainsi atteindre, n'osant admettre que c'était pour
agacer Skern qu'elle le croisait aussi souvent dans
les corridors et lui jetait des regards langoureux
quand ils étaient dans la même salle.

Cela se termina abruptement un jour qu'elle
l'avait suivi dans les caves de la Citadelle. Elle le
vit disparaître dans l'embrasure d'une porte d'où
sortait une lumière rougeâtre. Elle s'approcha,
jeta un coup d'œil à l'intérieur.

C'était une salle de torture. Skern Strénid échan-
geait quelques mots avec un garde. Un homme
était étendu, attaché, sur une table. Inalga détourna
la tête et s'enfuit. Elle dut interrompre sa course
quelques instants plus tard pour vomir. Dès lors
elle évita Skern.

La situation apparaissait à Inalga de la manière suivante : elle avait bêtement sacrifié sa jeunesse à la mythologie de l'amour romantique dans laquelle elle avait été éduquée. Cela lui enlevait toute envie de rentrer dans son pays, où depuis l'enfance on lui avait inculqué ces idées, destinées sans doute, là-bas comme ici, à favoriser la sujétion des femmes aux hommes. Inalga acceptait cela assez facilement, puisqu'elle vivait dans des conditions matérielles confortables, et que personne ne manifestait de cruauté ou de haine à son égard. Cependant, il y avait plus : par ses fonctions de courtisane, Inalga était complice des agissements de Skern. L'État utilisait son corps comme récompense pour des loyaux services (quels services, d'ailleurs ?) et ce même État n'hésitait pas à torturer ceux et celles qui s'opposaient à lui. Jusqu'à maintenant, Inalga avait cru qu'elle s'était aventurée par stupidité dans un Archipel ennuyeux mais civilisé. Elle constatait à présent que les mondes assez calmes qu'elle avait connus dans sa famille ou dans la Citadelle n'étaient que des îlots privilégiés. La paix, la tranquillité dont on jouissait dans les appartements des épouses n'existaient que par la violence des salles de torture. Celle-ci laissait présager d'autres brutalités à l'extérieur, brutalités qu'il aurait été malséant de porter à l'attention d'une jeune femme, et qu'Inalga ne pouvait qu'imaginer, partagée entre terreur, révolte et indifférence.

Elle faisait l'amour avec application, regardant le corps de son amant d'une nuit ou de quelques jours comme s'il s'agissait d'une matière dénuée de conscience, dont elle rendrait certaines parties dures, certaines mobiles, certaines trempées de sueur, et qui devrait si possible émettre du sperme à une extrémité et des grognements de plaisir à l'autre.

Elle se méprisait trop, et se sentait trop ignorante de la situation globale dans laquelle elle s'insérait, pour essayer de changer quelque chose. Par ailleurs, elle ne pouvait nier qu'elle appréciait les compliments qu'elle recevait pour son habileté, ainsi que les liens de camaraderie discrète qui l'unissaient peu à peu aux autres épouses de Skern, dans ce lieu étrange où les hommes semblaient seuls prendre part aux actes importants et aux conflits. Elle n'eut jamais d'enfant et elle passait le plus clair de ses journées dans l'oisiveté. Lors de ses moments d'audace, elle reconnaissait qu'il y avait en elle force et lucidité. Elle craignait presque ces qualités, qui lui faisaient comprendre trop de choses à la fois.

Souvent, vers la fin de la nuit, elle errait dans les corridors déserts, évitant les sentinelles, fuyant la lumière. Le courage lui manquait pour plonger tout à fait dans la folie. Au contraire, se ménageant en vue de jours meilleurs, elle s'efforçait de paraître la plus normale possible aux yeux des autres. Elle sentait pourtant en elle-même un accroc, une déchirure, par laquelle le chaos et la mort pénétraient. Sept ans après son arrivée à Frulken, sa vie était sans but, et elle attendait qu'elle se termine. C'est alors qu'elle rencontra le Rêveur.

Une nuit qu'elle errait ainsi dans la Citadelle, elle poussa une lourde porte entrouverte ; la lampe du corridor éclaira une suite de salles inoccupées. Au fond, on apercevait la clarté du ciel nocturne. Inalga s'avança.

Un courant d'air soufflait vers elle. La dernière des salles donnait sur un balcon. Elle sortit.

C'était l'hiver. Le froid la saisit. Le balcon surplombait la mer. On entendait les vagues se fracasser sur les rochers en bas. La nuit était assez claire pour qu'Inalga distingue une rampe de bois bordant le balcon sur trois côtés. Du côté ouest, à droite d'Inalga, un homme se tenait immobile, tourné vers la mer. Inalga sursauta et recula vers la porte. Mais l'endroit exerçait sur elle un charme certain. Au lieu de s'en aller, elle demeura un moment. Ses yeux s'habituaient à la lumière de la lune et des étoiles, et elle reconnut l'homme sur le balcon : c'était le Rêveur. Elle l'avait déjà vu à plusieurs reprises et son comportement étrange ne lui avait pas échappé. Qu'il n'ait pas remarqué l'arrivée d'Inalga sur le balcon paraissait naturel de sa part.

Le froid la poussa finalement à regagner sa chambre, mais elle revint la nuit suivante. S'étant plus chaudement habillée, elle resta plus longtemps. Elle se fit une habitude de cette promenade nocturne. Le Rêveur se trouvait toujours à son poste. Parfois, quand la nuit était trop noire, Inalga ne le voyait pas, mais en tendant la main, elle pouvait toucher à son manteau. Il ne semblait jamais remarquer sa présence. Elle se plaçait à côté de lui et scrutait les ténèbres. Du balcon, on n'apercevait ni la ville ni le port. Parfois quelques fenêtres de la Citadelle jetaient un peu de clarté ; parfois tout était obscur. Le balcon était plongé dans les ténèbres, l'infini l'entourait de toutes parts. Les vagues, le vent paraissaient lointains, appartenant à un autre monde. La nuit trouvait ici son cœur.

Inalga avait découvert ce balcon depuis quelques mois quand le Rêveur lui adressa la parole.

— Vous venez souvent ici, remarqua-t-il.

Elle sursauta.

— Je ne savais pas que vous vous en rendiez compte. Je vous dérange peut-être.

Pour toute réponse, elle l'entendit rire un peu. Déconcertée, elle demeura attentive dans le silence qui s'approfondissait.

— Si l'on enjambait cette rampe, dit le Rêveur, on rencontrerait la mort en bas.

— C'est ce que vous me conseillez de faire ? demanda Inalga, qui éprouvait un certain soulagement à la tournure étrange que prenait la conversation.

— Je ne vous retiendrais pas.

— Moi non plus, ajouta-t-elle sans réfléchir. Mais, à vrai dire, j'ignorais que vous étiez encore capable de vous montrer aussi loquace.

— C'est parce que je suis réveillé. Malgré mes efforts, il m'est impossible de demeurer plongé dans le rêve l'année durant. Je lutte longtemps pour ne pas m'éveiller, et finalement je cède. Pour quelque temps, je dois envisager la réalité d'un point de vue «habituel». Comment se porte Skern, ces jours-ci ?

—Je suis sa dix-huitième épouse, mais il y a des mois que je ne l'ai pas vu.

—Dans ce cas, pourquoi voudriez-vous mettre fin à vos jours?

—Par horreur du gaspillage.

—Eh bien, allez-y.

Inalga hésita. Elle se pencha vers l'abîme, cherchant à le scruter. Finalement, elle se redressa.

—Pourquoi ne sauteriez-vous pas aussi? demanda-t-elle.

—C'est que, moi, je suis utile. L'État m'a jugé nécessaire.

—Vous ne répondez pas à ma question, nota Inalga.

Le Rêveur s'inclina.

—Vous en savez à présent autant que moi sur ma propre déchéance, remarqua-t-il.

Inalga le salua.

—Et vous sur la mienne.

—Vouloir se rendre utile est une erreur, reprit le Rêveur. Nul ne peut indéfiniment se prendre pour un instrument dans la main d'un autre, même s'il le désire: tôt ou tard, il doit admettre qu'il est responsable de ses actes. Il m'est facile d'appliquer ma volonté au vent, mais il m'est impossible de faire agir ma volonté sur moi-même, elle n'a aucune emprise sur le monde du réveil. Ainsi ma vie se trouve-t-elle désaxée. C'est une situation pernicieuse, qui pourrait avoir des conséquences graves, étant donné mon rôle. Si j'en parlais à mes supérieurs, nous pourrions peut-être élaborer une solution...

Inalga le coupa:

—Vos supérieurs ? Cette vie décentrée, désaxée, est le lot de tous. Comment prétendriez-vous avoir droit à autre chose ?

—À cause de mon travail, qui est important.

Elle éclata de rire à une telle réponse et s'en alla.

Elle revint pourtant au balcon les nuits suivantes. Même si son compagnon rêvait, ils échangeaient quelques paroles, souvent décousues, à un rythme inégal. Il arrivait que le Rêveur propose à Inalga un morceau de farn. Elle acceptait souvent et demeurait avec lui, indifférente au froid, contemplant sans éprouver de souffrance l'extrême dureté du monde où elle était, et sa totale impossibilité de fuir.

Des paradrouïm ont donné de la création du monde une interprétation qui présente des analogies avec la situation du Rêveur et d'Inalga. Ceux-ci allaient bientôt, selon certains, provoquer la ruine de l'Archipel ; ils participaient ainsi à la création d'un nouvel ordre. Le phénomène de création peut être décrit de la manière suivante : d'abord il y a une lumière ; celle-ci, devenant consciente d'elle-même, engendre par conséquent son opposé, appelé le vide, c'est-à-dire privation de lumière et de conscience. La lumière pénètre le vide de ses rayons, si bien que celui-ci perd sa nature en prenant conscience d'elle, ce qui, créant une seconde conscience, fait également perdre sa nature à la lumière originelle. Fragments de lumière et de vide s'engagent dans des mouvements de plus en plus complexes. La réalité qui nous environne, sous n'importe lequel de ses aspects, peut toujours être considérée comme représentant ces jeux de lumière et de vide. Il arrive même qu'elle représente de manière assez claire l'une des situations précédemment décrites : existence de la lumière seule, ou bien de la lumière et du vide, et ainsi de suite. En particulier, l'on peut affirmer que la création de l'univers prend place ici et maintenant.

Dans cette histoire, le Rêveur joue le rôle du vide, tandis qu'Inalga tient celui de la lumière. On peut juger cette analogie forcée ; cependant, la grande souplesse d'interprétation des données réelles demeure. En en faisant usage, selon les termes de Joril lui-même, le Rêveur englobe l'Océan et Inalga englobe l'Archipel, c'est-à-dire que l'on peut aisément envisager la chute de Vrénalik en ne se référant qu'à ces deux personnes et à ce qu'elles représentent. Quand le Rêveur prit conscience d'Inalga, l'émotion engendrée par cette situation, selon le schéma précédemment décrit, se trouva, par la nature même du Rêveur, répercutée sur le monde environnant, l'une de ses conséquences les plus spectaculaires étant la tempête qui engloutit l'île de Drahal.

À l'époque qui nous occupe, Inalga et le Rêveur se rencontraient souvent. La connaissance qu'ils avaient l'un de l'autre devenait de plus en plus profonde. Les mois passaient. Inalga ne prenait que très rarement la drogue qui se trouvait à sa portée. La présence du Rêveur et l'atmosphère du balcon lui suffisaient à présent. Une nuit, pourtant, son compagnon lui demanda de venir avec lui dans son rêve, ce qu'auparavant il n'avait jamais fait.

C'était le milieu de l'été. Insouciante, Inalga arriva au balcon.

—Des gens m'ont récemment dérangé à votre sujet, dit le Rêveur pour l'accueillir. Ils m'ont posé des questions sur vous, sur la fréquence de vos visites.

—Et alors?

—Il se peut qu'on vous interdise de me rencontrer.

—De quel droit?

—Ceux qui ont le pouvoir sont ceux qui ont les droits, remarqua le Rêveur. Venez avec moi cette nuit, c'est peut-être la dernière. Nous irons assez loin ; je vous donnerai suffisamment de drogue pour que vous puissiez m'accompagner.

—Où allons-nous? demanda Inalga en prenant le farn dans la main du Rêveur.

—D'abord vers l'Est. Puis ailleurs, si nous en sommes capables. Venez.

En rêve ils s'élevèrent au-dessus de Frulken, tournant autour de la ville endormie en décrivant ce qu'ils voyaient afin que leurs visions s'accordent l'une à l'autre. Plus l'effet de la drogue se faisait sentir et plus Inalga apercevait la ville avec netteté, éclairée de cette lumière crépusculaire que le farn donnait aux paysages, même à ceux qui, en réalité, se trouvaient plongés dans la nuit. Inalga ajusta cette lumière à sa convenance et s'orienta avec précision en consultant le Rêveur. Puis ils partirent. Le Rêveur, entraîné à cela, décrivait le paysage :

—Nous allons vers l'Est, passant le port, le quartier des artisans, puis la banlieue. Nous longeons la forêt, avec la mer à notre droite. Nous allons de plus en plus vite. Si l'on rend très claire l'image du rêve, on aperçoit l'écume des vagues sur les rochers. La côte est accidentée ; nous survolons quelques villages où aucune lumière ne brille. Voici la pointe sud-est de Vrénalik, avec un phare au bout. Nous traversons le détroit vers l'île de Vrend, le but de ce voyage. J'en aperçois la côte, et vous ?

—Attendez, j'ai du mal à vous suivre. J'en suis encore aux villages.

—Dans ce cas, je n'aurais pas dû les mentionner. Oubliez-les.

—J'arrive à la pointe et je m'engage au-dessus du bras de mer.

—Continuez.

—Il y a une ville en face.

—Un peu vers le Sud, tout de même. Elle s'appelle Périgliana.

—Elle est encadrée par deux phares. La lumière semble plus forte qu'à Vrénalik : pourtant, ici aussi c'est la nuit.

—Regardez le sol, les rochers, la pierre des édifices.

—Ils me paraissent blancs.

—Voilà l'explication de votre remarque. Apercevez-vous le palais du gouverneur de l'île, avec son dôme et ses drapeaux ? Devant, il y a un grand parc.

—Et cette tour, à gauche du parc ?

—Une tour ? Oui, elle fait partie d'un temple. C'est le cas de la plupart des tours que vous apercevez ici.

—Je n'ai pas remarqué de telles tours à Frulken.

—Ce n'est pas une ville religieuse. Périgliana, par contre, l'est peut-être trop. De nombreux pèlerinages y ont lieu, mais Skern tend à décourager ces pratiques, jugeant qu'il s'agit là d'une perte de temps. Il a raison, d'ailleurs : le vrai pèlerinage à Vrend ne se fait plus. Le seul véritable temple est depuis longtemps inaccessible.

—Tiens, et qu'y vénérait-on ?

—Haztlén. L'Océan. La seule réalité valable.

—C'est un point de vue.

—Celui qui importe. Quand je dirige vents et nuages, pour qui croyez-vous que je le fais ?

—Quand je caresse mes amants au point qu'ils en gémissent de plaisir, pour qui croyez-vous que je le fais ? Pour Skern et ses fonctionnaires, et làdessus vous ne valez pas mieux que moi.

Le Rêveur fit comme s'il n'avait pas entendu Inalga.

—Les Asven maîtrisent l'océan à l'aide de ma présence, dit-il. Comment peuvent-ils avoir l'outrecuidance de désirer maîtriser quoi que ce soit ? Ils m'ont maîtrisé aussi, pour que je serve d'intermédiaire entre leur soif de puissance et certaines forces élémentaires. J'ai longtemps accepté cette situation, la croyant inévitable. Pourtant, je le comprends chaque jour davantage, la nature de mon travail n'est pas d'imposer ma volonté, mais de me confondre avec le vent, et d'observer et d'adorer l'Océan en dessous. L'image sculptée du dieu de l'Océan est cachée aux Asven par leur désir de possession. Or, j'ai redécouvert cette image et je vous y mènerai cette nuit.

Ils longèrent la côte en descendant vers le Sud et s'arrêtèrent près d'une petite falaise, qui avait dû se former à une époque où la mer montait plus haut. Des touffes d'herbe poussaient sur le sol, formé de fragments d'ardoise et de morceaux de coquillages.

—Le temple est à l'intérieur de la falaise, dans une caverne, dit le Rêveur.

—Je ne vois pas d'entrée.

—Elle a été fermée avec soin, pour que son emplacement soit oublié.

Inalga hésita.

—Cet emplacement, remarqua-t-elle, je ne l'ai pas découvert. À vrai dire, il y a un moment à peine je n'étais au courant de rien. Je crois que je ne devrais pas vous accompagner à l'intérieur, ne pas me présenter, même en rêve, dans un lieu que vous respectez et qui m'est inconnu.

—Pourquoi ? dit le Rêveur avec colère. Dans quel but vous acharnez-vous à vous rabaisser ?

Inalga ne répondit rien et s'approcha de la falaise. Elle sentit une certaine pression tandis qu'elle traversait la paroi rocheuse. Quand cette pression cessa, Inalga supposa qu'elle se trouvait dans la caverne. L'obscurité était totale et il lui était impossible d'imaginer les lieux. Elle crut un moment que le temple consistait en cela, silence et ténèbres où elle apprendrait à voir ses propres lumières et à les éteindre. Mais le Rêveur, par la force de son art, alluma des flambeaux le long des murs, et Inalga aperçut une longue salle aux parois sculptées. Au fond luisait une tache verte, la statue de Haztlén.

Ils s'en approchèrent. Inalga regardait les bas-reliefs sur les murs irréguliers. On y voyait des processions de pèlerins portant leurs offrandes, hommes et femmes, de tous les âges, de toutes les races. Des animaux les accompagnaient, domestiques et sauvages, ainsi que quelques monstres. Parmi la foule des personnages, Inalga reconnut une jeune femme qui lui ressemblait, et un homme qui avait l'apparence du Rêveur, comme si les sculpteurs avaient pressenti leur venue. Contrairement à la plupart, ces deux personnages avaient les mains vides ; ils s'offraient eux-mêmes au dieu. Inalga le fit remarquer au Rêveur ; selon lui, la perception des images à l'intérieur de la caverne était soumise à des distorsions étant donné la grande puissance émotive que dégageait la statue ; ces distorsions, ajouta-t-il, lui semblaient bénéfiques, puisqu'elles étaient cohérentes entre elles et mettaient en valeur certains aspects de la réalité ; cependant, elles pouvaient parfois être terrifiantes ou déconcertantes ; dans tous les cas, on avait intérêt à les considérer avec détachement.

La statue se trouvait maintenant tout près, posée sur une table de pierre en haut de quelques marches. Tout autour, les murs étaient nus, c'était le rocher brut de la caverne originelle. Hésitant à regarder l'image du dieu, Inalga se tourna vers les marches ; un instant elle crut y apercevoir le Rêveur prosterné et sanglotant ; étonnée, elle remonta et se trouva face à face avec un visage cruel, en pierre verte : Haztlén.

Inalga soutint ce regard, qui semblait surgi des profondeurs marines que suggéraient les chatoiements, les miroitements somptueux du minéral. Puis elle s'approcha de plus en plus et pénétra à l'intérieur, tout comme elle avait pénétré plus tôt à l'intérieur de la caverne. Elle se trouva ainsi entièrement entourée de matière verte.

—Où sommes-nous ? demanda-t-elle au Rêveur, en souhaitant que leurs deux visions ne se soient pas désaccordées.

—Je ne croyais pas que ce serait possible, s'exclama celui-ci pour toute réponse. Vous avez réussi !

—J'ai l'impression de tomber en tournoyant dans un gouffre ; des ombres vertes passent à côté de moi ; l'espace semble avoir perdu ses propriétés ordinaires. Comment sortir d'ici ?

—Pourquoi désirer en sortir ?

—C'est étrange, remarqua Inalga après un silence, j'ai l'impression que c'est moi qui ai parlé par votre bouche.

—L'endroit où nous sommes est exigu. Nos pensées ne peuvent que s'y confondre.

—Nous sommes à Frulken côte à côte sur le balcon, immobiles face à l'Ouest. Nous ne nous touchons pas, nous sommes très dissemblables, vous noir et moi blanche, vous engourdi par la drogue, moi possédant la vigueur de la jeunesse. Mais nos visages se ressemblent, imprégnés de la même amertume, et simultanément à l'Est nous sommes ici, dans la statue de Haztlén, mêlés de manière encore plus intime que si nous étions amants, vous que je n'ai jamais désiré et qui jamais ne goûterez la douceur de mon corps.

—Deux aspects complémentaires d'un même être, ne se faisant pas face comme s'ils voulaient en engendrer un autre, mais étant adossés pour apercevoir toutes les directions en même temps.

—Nous nous séparerons bientôt.

—Nous n'avons pas besoin l'un de l'autre. Nous nous respectons trop.

—Nous nous connaissons trop. Je vous pressentais en moi depuis mon enfance, Rêveur. Je ne savais pas que je vous rencontrerais, ainsi, dans la joie.

Ils tournoyèrent longtemps dans un gouffre vert, jusqu'à ce que leur désir soit rassasié. Ce qu'ils contemplaient s'assombrit lentement, et ils eurent l'impression de s'immobiliser dans le noir. Inalga tressaillit ; l'effet de la drogue atteignait son paroxysme ; il lui semblait être entièrement absorbée par les ténèbres.

—Conduisez notre rêve, lui demanda son compagnon.

Elle demeura longtemps silencieuse, refusant de concentrer son esprit sur quelque sujet que ce soit, confondue avec l'obscurité.

—Nous rêverons de vous, dit-elle finalement.

—Si vous le voulez, répondit l'autre avec une certaine réticence.

—Je pense à vous, murmura Inalga pour guider le rêve, et vous y pensez aussi. Qui êtes-vous ?

Où est votre esprit, où est votre centre ? Pourquoi êtes-vous celui que vous êtes ? Quel fut le chemin parcouru ? Je ne vois rien, mais je me dirige vers vous, et je vous entraîne avec moi. Nous ne craignons rien, puisque nous n'avons rien à perdre.

Après un silence, elle continua :

—J'aperçois une haute muraille devant moi. Permettriez-vous que je la franchisse ?

—Ma volonté n'existe plus.

—Nous traversons cette muraille, reprit-elle. Comme elle est épaisse, étouffante. Voici la lumière du jour : nous sommes de l'autre côté, c'est-à-dire en vous-même.

—Je ne suis jamais venu ici.

—Que voyez-vous ? demanda Inalga.

—Presque rien. De la grisaille.

—De mon côté, l'image est assez claire. La muraille que nous avons franchie forme un grand cercle, à l'intérieur duquel nous nous trouvons. En haut, il y a le ciel, où quelques oiseaux volent. Le sol est gris, c'est de l'herbe qui a brûlé ; la cendre tourne au vent. L'endroit est désert, dévasté. Les pierres sont calcinées, il y a eu un incendie. Qu'en dites-vous ?

—Le rouge du feu est la couleur associée à Skern.

—Nous avançons dans les cendres, sans crainte puisque nous n'avons rien à perdre. Vous ne vous y opposez pas ?

Il ne répondit rien.

—Le sol est mou, continua Inalga. Quelle désolation. Un ruisseau coulait ici ; il s'est tari. J'aperçois un vêtement étendu à terre ; c'est votre

manteau. Je ne suis pas trop cruelle, dites-moi ?
Je pourrais m'interrompre.

— Vous ne le pouvez pas.

— Votre manteau a une teinte étrange, dit Inalga
d'une voix tendue, il est couvert de sang. Ce sang
n'est pas le vôtre...

— Ma femme, dit le Rêveur, a été tuée par les
soldats de Skern pour qu'il me prenne à son service plus facilement. Mes enfants deviendront
soldats à leur tour, et je ne fais rien.

Inalga étouffa un cri. Sa vision bascula. Abruptement elle aperçut le balcon à Frulken. C'était le
matin.

Incapable de parler, elle regarda le Rêveur, puis
elle s'en alla.

DRAHAL

Quand elle eut quitté le Rêveur, Inalga dut affronter le monde du réveil : sur son chemin elle croisa Skern. Elle le salua sans s'arrêter, mais il la retint :

— D'où venez-vous, Inalga ?

L'odeur du farn qu'elle avait pris imprégnait encore ses vêtements.

— D'où venez-vous ? Répondez-moi.

Il paraissait si mesquin, occupé à flairer autour d'elle d'un air inquiet, qu'elle ne put s'empêcher de rire. Il lui saisit le bras, puis le relâcha.

— Rentrez à votre chambre. Je vous enverrai chercher dans la journée. Nous parlerons.

Au début de l'après-midi, Inalga fut menée en présence de Skern.

— Marchez jusqu'au bout de la pièce, dit-il. Faites quelques tours sur vous-même. Revenez ici. Prenez cette carafe, remplissez à ras bord ce petit verre, et ne renversez rien. Bon. Asseyez-vous.

Quand elle eut terminé, il la fixa quelques instants et dit :

—À première vue, la drogue n'a pas causé trop de ravages. Évidemment, il n'est plus question que vous mettiez votre santé en danger en en prenant. Je veillerai à ce que vous ne puissiez plus rencontrer le Rêveur.

Il fit signe aux gardes de se retirer.

—Vous interdire le farn ne suffit pas, dit-il. Nous tenterons de modifier votre vie de manière que vous n'ayez plus envie d'en prendre.

L'esprit encore pénétré du souvenir de la nuit précédente, Inalga ne pouvait que refuser :

—Je puis fort bien me passer de la drogue farn sans changer quoi que ce soit à la vie que je mène. Je vous remercie de votre attention, mais je n'ai besoin de rien.

—À mon avis, vous faites erreur.

—Je vous crains. Il faut que je me protège. Je ne veux pas dépendre de vous plus qu'il n'est nécessaire.

—Votre idéalisme me semble déplacé.

—Je serais curieuse de savoir dans quelle situation vous le jugeriez à propos.

—Autrefois, dit Skern en riant, vivaient dans l'Archipel des gens qui pensaient comme vous. On les appelait paradrouïm. Le Rêveur Shaskath, justement, était l'un d'eux. À présent, il n'y en a plus : je les ai découragés. Mais vous, madame, vous êtes mon épouse. Vous avez le privilège de penser ce que vous voulez.

À partir de ce moment, Inalga considéra sa vie comme une lutte contre l'ennui. Elle se mit à

accomplir la moindre de ses tâches avec un intérêt artificiellement créé, soutenu par un effort de
volonté. Petit à petit, elle se prit au jeu et porta un
regard neuf sur ce qui l'entourait. Elle entreprit
des ouvrages de broderie et s'étonna de voir de
somptueux dessins naître de la répétition monotone
de ses gestes. Elle engagea des conversations longues et fréquentes avec ses compagnes, avec ses
amants, ce qui en découragea quelques-uns. D'autres, par contre, revinrent plus souvent la voir. Parmi
ceux-ci se trouvait Izin Skaden, un des principaux
collaborateurs de Skern. C'était un homme un peu
plus jeune que ce dernier, trapu et assez laid.

—Notre projet, ici à Vrénalik, aimait-il à dire,
c'est de créer un pays d'un genre nouveau. Nous
voulons que chaque habitant participe à son développement et profite des bénéfices. Nous n'avons
pas hésité à faire appel à des spécialistes étrangers, à faire venir de la main-d'œuvre étrangère,
pour que les richesses du pays soient exploitées
le mieux possible. Nous accueillons ces immi-
grants comme nos frères, ils travaillent au même
but que nous. Les différences culturelles ne servent
qu'à éloigner les gens et à les empêcher de se
comprendre. Notre pays est neuf, encore mallé-
able ; il nous est facile de nous adapter à une nouvelle façon de vivre. Vrénalik est plus prospère
qu'elle ne l'a jamais été, chacun ici a le nécessaire
et même un peu de superflu. De même que nos
gisements de Drahal sont uniques au monde, de
même notre gouvernement est unique, et précieux.

—Je ne le concevais pas de cette façon, dit
Inalga. Frulken m'a toujours semblé une ville grise,

aux foules tristes, et j'ai pu constater à quelques reprises la brusquerie avec laquelle vous établissez un individu dans une fonction à laquelle il n'est pas forcément adapté. Vous détruisez les fondations de votre société ; vous empêchez les gens d'honorer leurs traditions, vous les privez de leur héritage culturel pour leur donner à manger.

— C'est bien cela. Nous éliminons les parasites, ceux qui se nourrissent de la misère des autres. Nous éliminons les privilèges héréditaires, chaque individu est évalué selon ses mérites, et non selon ceux de ses ancêtres. Nous éliminons les pauvres en leur donnant le nécessaire et en leur apprenant un métier utile. Nous éduquons les jeunes. Nous prenons soin des orphelins, des malades, des vieillards. Le procédé est souvent brutal, mais les résultats en valent la peine. D'ailleurs nos enfants, élevés dans ce monde-ci, n'auront pas d'attachement sentimental pour ce qu'ils n'ont pas connu.

— Je ne suis pas certaine que ce monde leur paraisse hospitalier. Pour ma part, je m'y sens toujours étrangère, même si je suis ici depuis huit ans. Les gens de Frulken, je ne les connais pas ; c'est tout juste si je les aperçois à l'extérieur du carrosse, quand nous traversons la ville.

— Eux, par contre, vous aperçoivent, Inalga. Vous jouez votre rôle auprès d'eux.

— Mon rôle ? En quoi consiste-t-il ? Le savez-vous ? Pour ma part, il ne m'intéresse que médiocrement. Il est possible que je ne sois pas une exception. Que prévoit votre système pour ceux qui sont dans mon cas ? Rien, et c'est une erreur.

— Le temps saura la corriger.

—Peut-être. Mais pour le moment vos structures manquent de souplesse, elles ne sont pas encore soumises à une morale satisfaisante. Considérez par exemple la manière inqualifiable dont vous vous êtes acquis les services du Rêveur.

—Vous choisissez un cas exceptionnel ; de telles méthodes, permettez-moi de vous l'affirmer, sont très rarement utilisées. Mais, vous en conviendrez, le résultat en valait la peine : à présent nos rivages sont sûrs, protégés des tempêtes, et nos bateaux sillonnent la mer en toute quiétude.

—Je ne suis pas certaine d'être de votre avis. Bousculer la nature après avoir bousculé les gens, ce n'est pas une façon d'agir que j'approuve.

—Vous ne vous rendez pas compte des intérêts mis en cause.

—Et si je m'en rendais compte ? La situation m'inquiéterait davantage ! Qu'arrivera-t-il, en effet, quand le Rêveur disparaîtra ? Et quand vos gisements de Drahal seront épuisés ?

—Ces questions nous préoccupent, n'en doutez pas. Nous cherchons en ce moment un remplaçant au Rêveur, tout en nous tenant prêts à un retour éventuel aux conditions qui existaient avant son entrée en fonction. Pour ce qui est de Drahal, le problème est plus complexe. Par contre, il est moins pressant.

Inalga réfléchit quelques instants, puis déclara :

—Je vous remercie de vos explications. Skern – faut-il vous l'avouer ? – ne m'a jamais parlé de cette façon.

Izin Skaden sourit en hochant la tête.

—Skern est un personnage étrange, dit-il. À la différence de la plupart d'entre nous, il a eu sans cesse à lutter pour s'affirmer. Une carrière dans le gouvernement ressemble en général à la mienne : je viens d'un milieu aisé, instruit ; je n'ai éprouvé aucune difficulté à mettre en valeur mes talents. C'est sans doute pourquoi je me plais à vous donner ces explications sur notre pays, sans pour autant éprouver de passion patriotique ; j'accepte votre indifférence, vos critiques : il s'agit d'un jeu de l'esprit, pour vous comme pour moi. Il n'en est pas de même pour Skern. Ce pays, c'est lui qui l'a conçu ainsi ; les idées que je vous ai exposées sont les siennes ; il les modifie et les travaille chaque jour, certes, mais il ne tient pas à les discuter pour le simple plaisir de la chose. Skern est né dans un taudis du port ; il est maintenant chef du pays. Pour parvenir à ce poste, il a dû prendre l'habitude de ne rien faire qui ne soit strictement nécessaire.

Inalga sourit.

—Était-il nécessaire de prendre trente épouses, sans avoir le temps d'en jouir ?

—C'est là sa façon d'affirmer son prestige. Les gens de son milieu le perçoivent ainsi, sans doute. Et si cela nous permet d'être ensemble, pourquoi s'en plaindre, ma chère ?

Inalga ne répondit rien.

Les épouses les plus récentes de Skern avaient pour lui l'attrait de la nouveauté. Les plus anciennes, d'autre part, lui étaient attachées par des liens d'amitié : elles avaient accepté de partager sa vie avant qu'il ne devienne chef du pays, alors qu'il n'avait que sa jeunesse, sa fougue et son intelligence pour les séduire. À cette époque, pas plus qu'à présent, Skern n'avait pu leur consacrer beaucoup de temps, occupé qu'il était à atteindre le pouvoir ; certaines d'entre elles l'avaient assisté dans cette entreprise ; il lui arrivait encore de leur demander conseil. Il n'accordait pas une telle confiance aux épouses plus jeunes, n'ayant pas besoin de l'aide qu'elles auraient pu lui apporter.

Celles qui ne figuraient ni parmi les premières ni parmi les plus récentes étaient délaissées. Skern leur rendait visite une ou deux fois par année, ou encore lors de la naissance d'un enfant. Il se souciait peu de savoir s'il en était le père : de toute façon, l'enfant recevrait de bons soins, une éducation adéquate ; parvenu à l'âge adulte, il aurait un emploi approprié dans lequel il devrait faire ses preuves.

Inalga, parce qu'elle était étrangère, sortait rarement de la Citadelle. N'ayant ni parent ni ami au pays, elle n'avait personne à qui rendre visite. On ne lui interdisait pas de sortir ; il fallait cependant qu'elle dise où elle allait. Cette procédure désagréable suffisait à la confiner presque exclusivement dans la Citadelle. Celle-ci était d'ailleurs très étendue. On y trouvait de nombreux jardins et des sentiers qui longeaient la falaise. Quand elle s'y promenait, Inalga imaginait parfois des moyens de quitter la Citadelle sans être soumise au contrôle des gardes. Vers l'Est, près du chemin d'accès, le sentier ne surplombait pas l'abîme. Il serait sans doute possible de passer la balustrade, de descendre le talus herbeux jusqu'au bord de la falaise, de longer ce dernier pour remonter plus loin vers le chemin, à l'abri du regard des sentinelles. Inalga n'avait cependant pas l'intention d'exécuter ce projet tant qu'elle n'en aurait pas de motif valable. Avec une ténacité passive, elle attendait qu'un tel motif se présente.

C'est dans ces circonstances qu'elle fit la connaissance des gens d'Ourgane. Environ un an s'était écoulé depuis qu'Inalga avait cessé de voir le Rêveur, quand elle apprit qu'un groupe de jeunes gens venant de la ville d'Ourgane avait débarqué à Frulken. Ils étaient une vingtaine, quinze hommes et cinq femmes. De telles visites entre habitants de pays amis n'étaient pas rares, et la coutume voulait que l'on accorde une généreuse hospitalité aux invités : dans quelques années, ces personnes dirigeraient peut-être Ourgane, et il serait souhaitable qu'ils aient une bonne opinion de Vrénalik.

Tout comme ce dernier pays, Ourgane était une nation de commerçants et de pêcheurs. La concurrence entre les deux États était cependant inexistante, étant donné la distance qui les séparait. La ville d'Ourgane commandait le détroit qui joint la mer Intérieure au Troisième Océan. Située plus au nord que l'Archipel, elle jouissait pourtant d'un climat plus doux, à cause de la proximité de courants chauds dans le Troisième Océan. Les gens d'Ourgane étaient gais, expansifs. On disait qu'en hiver ils changeaient les voiles et les pavillons de leurs navires et se faisaient pirates dans le Sud.

Inalga était au courant de ces rumeurs. Ces nouveaux visiteurs venus d'Ourgane ne différaient pas de ceux qu'elle avait déjà rencontrés : ils avaient la peau sombre, portaient des habits aux couleurs vives, et ils parlaient asven avec un accent rocailleux. On lui demanda d'accompagner un jeune homme du nom d'Irman Macoulda. Il était de cinq ans son cadet, et elle put constater qu'il était habile danseur et qu'il faisait bien l'amour. Elle le trouva cependant un peu naïf au début : il était déjà allé avec son père dans le sud du Troisième Océan, mais c'était son premier voyage du côté de la mer Intérieure, et la grandeur, la richesse de Frulken l'émerveillaient. Il se rendit plus tard compte que son enthousiasme premier avait été pour ainsi dire planifié par ses hôtes. Ses compagnons et lui-même avaient débarqué en mai ; ils avaient l'intention de passer l'été dans l'Archipel pour le visiter en entier. Ils commencèrent par séjourner dans la capitale pendant quelques semaines. Inalga se tenait souvent avec eux ; elle n'éprouvait pas d'attachement particulier pour Irman, mais sa présence, ainsi que celle de ses amis, lui plaisait. Ils lui apprirent quelques rudiments de leur langue. Plusieurs d'entre eux jouaient d'un instrument de musique. Inalga avait apporté de Bérilis l'armiclione sur laquelle elle jouait quand elle était jeune fille. Elle y fixa de nouvelles cordes et se joignit à eux.

Les compagnes et compagnons des autres membres du groupe étaient moins assidus qu'Inalga. La plupart avaient amants ou maîtresses fidèles et même parfois des enfants qui leur ôtaient l'envie de s'intéresser plus qu'il n'était nécessaire à ces gens d'Ourgane. Pour Inalga, par contre, Vrénalik, comme Ourgane, n'était qu'un pays étranger. Vrénalik ne lui plaisant pas, il était naturel qu'elle se tourne vers Ourgane, du moins pendant cet été où il lui était possible de le faire. Quand Irman et ses amis décidèrent d'aller visiter Drahal, ils offrirent à leurs compagnons asven de venir avec eux ; la plupart d'entre eux refusèrent, mais Inalga accepta. Il y aurait bientôt neuf ans qu'elle vivait à Vrénalik ; c'était pourtant la première fois qu'elle quittait Frulken.

De nombreux bateaux faisaient la navette entre Frulken et Drahal. La traversée dura deux jours. À Drahal il n'y avait pas de villes. L'île entière était occupée par les carrières et les usines de traitement du minerai, dont les hautes cheminées crachaient une fumée brune. Les maisons dignes de ce nom étaient rares. Des groupements de cabanes ou de tentes s'étaient élevés là où on ne creusait pas le sol. Quelques poules et quelques cochons couraient dans l'herbe clairsemée. Tout était couvert de poussière.

On logea les visiteurs dans une longue baraque, dont l'intérieur était subdivisé en petites pièces. L'aération se faisait mal, les fenêtres ne s'ouvrant tout simplement pas pour éviter que la poussière n'y pénètre. Malgré cet inconvénient, l'endroit était assez confortable.

Ils allèrent visiter une usine.

—Le charbon nous vient du pays Hanrel, commenta le guide.

Inalga cessa d'écouter. De toute façon, le vacarme était assourdissant. Dans une chaleur à peine supportable, des gens s'affairaient, s'occupaient du minerai, du combustible, du métal fondu, des lingots qui refroidissaient.

—Quel endroit ! s'exclama Inalga quand ils furent sortis.

—C'est merveilleux, au contraire, dit Irman. Le minerai entre par là-bas, et de beaux lingots de cuivre sortent par ici, prêts à être exportés. Je n'ai jamais vu ça.

—Mais cette poussière, ce vacarme...

—Notre île n'est pas très belle, j'en conviens, dit le guide, mais nous ne forçons personne à vivre ici. Par contre les salaires y sont plus élevés qu'ailleurs, pour encourager la main-d'œuvre. De plus l'État garantit un bon emploi dans la ville de son choix à tout ouvrier ayant passé plus de cinq ans à Drahal ; après dix ans sur l'île, l'ouvrier reçoit en plus une prime substantielle.

—Et les travailleurs sont-ils satisfaits de cette situation ?

—Je le crois, oui. Je le suis, en tout cas. Il y a sept ans que je vis ici ; j'en ai encore pour trois ans et je m'en vais. Je viens de Berglan-Diénis, sur le détroit de Strind. Ma femme et mes enfants vivent là-bas, parce que, avouons-le, Drahal n'est pas un endroit convenable pour élever une famille, quoique certains choisissent de le faire. J'envoie une partie de mon salaire à ma femme, et, deux fois par année, j'ai des vacances assez longues pour me rendre là-bas. Je connais à peine mes enfants, c'est vrai, mais dans trois ans je reviendrai près d'eux. J'aurai l'emploi, j'aurai la prime, nous aurons le temps de lier connaissance.

—Vous êtes bien raisonnable.

—Il le faut. Des princesses comme vous ont peut-être tout ce qu'elles désirent ; quant aux gens ordinaires, ils doivent faire des choix, payer le prix de ce qu'ils veulent.

—Et si vous aviez choisi de ne pas venir ici, que vous serait-il arrivé ?

—Les meilleurs emplois sont occupés par ceux qui reviennent de Drahal. Je n'ai pas de talent remarquable, je n'ai que le minimum d'éducation ; je me serais fait balayeur de rue ou vidangeur. Je n'aurais manqué de rien, ma famille aurait été logée et nourrie, mes enfants auraient joui des mêmes privilèges que les autres. Mais nous n'aurions eu droit à aucun luxe, à aucune faveur, et je serais resté simple vidangeur jusqu'à la fin de mes jours. Nous aurions ainsi appartenu à la classe sociale la plus basse.

—Pourquoi ?

—Avoir fait ses cinq ans à Drahal nous place dans une certaine élite. Quant à dix ans, c'est encore mieux. Je m'ennuie souvent – je ne suis guide qu'un jour par semaine, le reste du temps je travaille à la mine, et ce n'est pas très distrayant. Nombreux sont ceux qui ne peuvent pas supporter toute cette poussière et qui tombent malades après six ou sept ans, mais j'ai de la chance, ma santé est bonne. Je ne crois pas que je devrai me faire rapatrier avant d'avoir terminé mes dix ans.

—Et votre femme, n'aurait-elle pas préféré vous voir vidangeur, mais près d'elle ?

—C'est possible. Pour le moment, elle vit dans sa famille ; ainsi elle a de l'aide pour les enfants. Elle est raisonnable, elle aussi. Quand je reviendrai, nous aurons une grande maison. Nous vivrons près de ses parents et près des miens. Nous serons heureux.

La fumée de l'usine bouchait le ciel et roulait sur le sol en volutes ; c'est à peine si un soleil jaune luisait au travers et faisait ressortir la silhouette des bâtiments. Le guide, brun de poussière, avalait avec chacune des paroles qu'il prononçait un peu de cette poudre qui flottait dans l'air. Inalga, avec les autres, s'éloigna.

Quelques jours après son arrivée, elle alla voir la mer. Non loin de l'endroit où elle logeait, vers le Sud, se dressait la colline ; c'était la digue qui protégeait Drahal. Inalga prit le chemin de terre qui y menait. L'air était beaucoup plus propre qu'aux abords de l'usine, et la poussière y était d'une teinte plus claire. Peu à peu Inalga sentit le vent déposer sur ses vêtements, sur sa peau, sur ses cheveux, une couche de couleur beige. Elle croisa des groupes de travailleurs et dut à plusieurs reprises quitter le chemin pour laisser le passage à des véhicules divers. Elle aperçut quelques femmes et même quelques enfants. Finalement, elle arriva au pied de la digue. Aucun sentier n'en faisant l'ascension, elle se mit à gravir la pente de roche, de terre et de sable. C'était la fin de l'après-midi ; la lumière dorée embellissait l'image monochrome qu'Inalga vit quand, à mi-pente, elle s'assit pour enlever le sable de ses souliers.

Arrivée en haut, elle put regarder l'autre versant. Elle s'était attendue à une pente au moins aussi longue que celle qu'elle venait de monter, mais il n'en était rien. L'eau semblait toute proche, son niveau étant plus élevé que celui du sol de l'autre côté. Inalga descendit et s'assit sur un rocher. L'endroit était désert. Dans le silence on entendait le clapotis des vagues, jaunes comme tout le reste, salées et sans doute tièdes comme des larmes. L'horizon était bouché par un brouillard jaune.

—Trop de lumière forcée à briller, trop d'ordre, songea Inalga. La nuit viendra peut-être très vite.

Ils repartirent quelques jours plus tard pour le nord de Drahal, d'où ils prirent un bateau pour Strind. Le long du détroit qui sépare cette île de Vrénalik, ils visitèrent des chantiers navals, des usines, des manufactures. La région était très densément peuplée. Ils assistèrent à des assemblées d'information, où des représentants du gouvernement expliquaient leurs droits et devoirs aux citoyens et vantaient la sagesse de l'État. Ils ne virent nulle part de signe de désaccord. Il est vrai que leur séjour était organisé par ce même gouvernement. Les gens d'Ourgane semblaient apprécier leur voyage. Ils écoutaient et regardaient attentivement autour d'eux, prenaient des notes, posaient des questions pertinentes et s'émerveillaient au bon moment. Mais le soir, quand ils se réunissaient tous, jouaient de la musique et dansaient, leur entrain grandissait à mesure que les jours passaient, comme pour compenser le calme et le sérieux du monde autour d'eux. Parfois ils organisaient des concours de lutte ou de lancer de couteaux. Irman apprit à Inalga comment manier le poignard. Elle s'appliqua à acquérir la bonne technique. À chaque lancer, elle avait l'impression d'infliger une blessure à ce pays qu'elle détestait. Elle pensait parfois à ce qui arriverait à la fin de l'été, quand ces gens d'Ourgane s'en iraient : « Retourner dans les murs gris de la Citadelle, n'avoir d'autre chose à faire que de s'occuper de sa coiffure, de son apparence, sera difficile. Si c'est trop dur, avec un poignard comme celui-ci je m'ouvrirai les veines et tout sera dit. »

Comme elle vivait avec Irman, elle ne pouvait s'empêcher de lui faire sentir sa haine de Vrénalik et son mépris pour Skern Strénid. Plus le temps passait, plus il partageait ses sentiments. Ils ne parlaient jamais ouvertement de ce sujet ; quelques allusions leur suffisaient à exprimer leur accord.

Se dirigeant toujours vers l'Est, le groupe prit un bateau pour l'île de Vrend. Ils débarquèrent à Périgliana au milieu d'août.

—Ces tours, expliqua Inalga, appartiennent chacune à un temple. Cet édifice en haut là-bas est le fort ; le dôme que vous voyez par ici est le palais du gouverneur.

—Êtes-vous déjà venue dans notre ville ? demanda à Inalga le guide qu'on avait assigné au groupe.

—Oui, une fois, en rêve, répondit-elle en riant.

Un après-midi, elle alla se promener à cheval avec Irman dans les collines au sud de Périgliana.

Ces hauteurs sablonneuses étaient peu fréquentées ; on y voyait la mer à l'ouest.

—Ces collines, demanda Irman, les auriez-vous aussi visitées en rêve ?

—En effet, je les reconnais.

—Allons donc ! Jamais un rêve ne pourrait être aussi précis.

Inalga descendit de cheval et marcha jusqu'au bord de la falaise. Elle regarda le Sud : au loin, dans cette masse de rochers bruns, se trouvait le temple de Haztlén. Irman, ayant attaché les chevaux à un buisson, la rejoignit. Ils s'assirent dans le sable.

—Dans la Citadelle de Frulken vit un homme qu'on appelle le Rêveur, dit Inalga. Avec l'aide de la drogue farn, il oublie sa volonté, ses désirs, et il ne rêve autre chose que la réalité objective du monde. Il peut voir n'importe où ; il sait diriger les vents et les nuages.

—J'ai entendu parler de lui, dit Irman, mais je refusais de croire à son existence : dans un pays aussi peu tourné vers la magie que Vrénalik se produiraient de tels miracles ! Et cela dans le palais même de Skern Strénid !

Inalga eut un sourire.

—Rien d'étonnant à cela, au contraire : ces miracles, comme vous dites, sont faits pour le bien de l'État.

Elle redevint sérieuse.

—Une nuit, par hasard, je suis allée trouver le Rêveur. Il a partagé la drogue farn avec moi. Nous avons continué à nous voir pendant plus d'un an. Il nous arrivait de rêver ensemble ; une fois, nous sommes venus ici, à Vrend. Je regarde maintenant en plein soleil ce que j'ai survolé en rêve. C'est une impression étrange, comme si, d'une certaine façon, cette nuit-là avait été vécue en préparation à ce jour-ci.

Irman garda un instant le silence, puis il dit :

—J'ai parlé de vous à mes amis. Nous partons dans un mois. Partiriez-vous avec nous ?

Inalga fut trop étonnée pour répondre.

—Je ne vous demande pas de devenir ma femme, continua Irman. Nous vous offrons simplement de quitter ce pays que vous n'aimez pas.

—Vous êtes reçus ici comme des seigneurs et vous repartiriez en emmenant avec vous l'une des femmes de votre hôte ? Et les lois de l'hospitalité ?

—Nous ne sommes pas des voleurs. Vous n'êtes pas une marchandise. Seul le consentement mutuel vous unit à Skern Strénid. Vous pouvez cesser de consentir, vous avez le droit de venir avec nous.

Inalga fixa l'horizon.

—Je ne sais pas ce qui m'attend à Ourgane, dit-elle finalement, mais je ne peux plus rester ici. J'accepte. Ici tout est si difficile à comprendre. Non seulement les murs de la Citadelle m'enferment la plupart du temps, mais aussi l'océan qui entoure l'Archipel m'empêche de m'en aller, et surtout les traditions, les conventions que je ne connais pas, que personne ne m'explique, m'emprisonnent. À Ourgane, la vie sera peut-être plus simple ; peut être serait-elle trop simple aux yeux des gens de la Citadelle. Mon départ sera sans doute jugé de mauvais goût. Et pourquoi pas ?

Quelques jours plus tard, ils étaient de retour à Frulken. Avec un regard nouveau, Inalga vit la Citadelle : plus que trois semaines et ce ne serait qu'un souvenir. Elle était très heureuse de quitter le pays, mais il lui aurait plu de ne rien laisser derrière elle d'inachevé, d'ambigu ; pourtant elle partirait en pleine nuit, en se cachant, et son séjour à Vrénalik se terminerait sur un malentendu, comme il avait commencé.

Un soir, elle reçut la visite de Skern.

—Nous ne nous étions pas vus depuis longtemps, dit-il.

—En effet. Depuis décembre dernier.

Il s'assit dans un fauteuil.

—J'ai appris que vous aviez visité l'Archipel avec les gens d'Ourgane. Avez-vous aimé votre voyage ?

—Oui, beaucoup.

—Qu'avez-vous préféré, au juste ?

Elle hésita avant de répondre. Skern la mettait mal à l'aise.

—J'ai préféré les sables de Vrend, dit-elle.

—Ah, Vrend ! La plus belle de nos îles ! Je me suis parfois demandé pourquoi nos ancêtres avaient choisi Frulken comme capitale, au lieu de Périgliana. De nos jours, bien sûr, Frulken fait mieux l'affaire, étant plus près de Drahal. Vous êtes allée à Drahal ?

—Oui.

Skern sourit en regardant le tapis.

—Du cuivre, il y en a à Drahal ; il y en a aussi ailleurs, par exemple dans ces pays du Sud qui sont nos principaux clients. Pourquoi n'exploitentils pas leur propre minerai ? C'est qu'il semble pour eux moins rentable de mettre sur pied leur industrie que de nous acheter le cuivre déjà préparé. Nous étions commerçants avant de nous mettre à creuser des mines, nous savons vendre notre produit. Il est d'ailleurs question que nous achetions leurs propres gisements !

Il regarda Inalga.

—Mais je dois vous ennuyer, dit-il. Ce n'est pas pour vous parler de nos projets commerciaux que je suis venu vous trouver ce soir.

Il se leva, s'approcha d'elle, passa la main dans ses cheveux. Elle sourit.

—J'aime votre sourire, dit-il. Vous êtes pour moi une énigme. La plupart de mes épouses sont heureuses ici ; elles ont un amant attitré, qui leur tient lieu de mari ; nos liens me permettent de leur demander certains services, et de bien contrôler la situation. Mais vous, vous ne semblez pas vous être adaptée. Vous étiez si jeune quand je vous ai épousée ; d'une certaine façon, vous n'avez pas mûri depuis ce temps-là.

Je vous ai traitée comme les autres, celles qui tôt ou tard finissaient par se plaire ici. Vous méritiez plus d'attention. Vous m'avez accusé de vous négliger ; vous n'aviez pas tort. Redevenons amis. Je vous consacrerai plus de temps ; nous finirons par bien nous entendre.

Il lui tendit la main. Elle la prit, mais, se levant, elle s'éloigna de lui et dit :

—Venez avec moi, abandonnez votre poste, prenons le premier bateau venu et ne remettons jamais les pieds dans l'Archipel. Dans de telles conditions, j'accepterais votre amitié.

— Vous savez que c'est impossible.

— C'est votre opinion. Les bateaux existent pourtant.

— J'ai eu tort d'engager cette discussion. J'avais oublié vos dispositions d'esprit.

— Je partirai, un jour, vous savez, se décida à dire Inalga. Peu de liens me retiennent ici.

— Où iriez-vous ? Chez vos parents ? Je suis responsable de vous, non seulement de votre bien-être, mais aussi de l'image que les gens ont de vous.

— Et si je refusais de vous charger de ces responsabilités ?

— Vous et moi n'y pouvons rien. C'est la coutume qui est ainsi faite, elle est plus forte que nous deux. Le pouvoir que je possède utilise les coutumes et le bon sens populaire à son avantage. Mon pouvoir n'est pas de changer ces choses-là, mais d'en jouir.

— Je partirai pour échapper à cette situation.

— Il n'y a pas d'endroit où fuir. Ailleurs, c'est une autre coutume qui prévaut, rien de plus.

— C'est faux.

— Ne prenez pas vos désirs pour des réalités, je vous en prie. Ne sombrez pas dans le ridicule ou, du moins, épargnez-m'en le spectacle.

Ils se dévisagèrent.

— Vous décrivez le monde en des termes qui masquent vos besoins et vos échecs, dit finalement Inalga.

Ils étaient dans sa chambre. Elle savait que Skern était venu la voir avec l'intention de faire l'amour avec elle, comme c'était son habitude quand il rendait visite à l'une de ses épouses le soir. Pourtant elle mit son manteau et quitta la pièce sans ajouter un mot. Quand elle revint, au milieu de la nuit, Skern n'était plus là.

L'avant-veille de son départ, elle rencontra l'un des fils du Rêveur. Depuis longtemps, elle envisageait de le faire ; elle regardait le visage de tous les jeunes gens qu'elle croisait dans la Citadelle en espérant que l'un d'eux trahirait par ses traits sa parenté avec Shaskath. Les chances d'Inalga de découvrir ainsi celui qu'elle cherchait étaient faibles, mais il lui semblait déplacé de s'enquérir des fils du Rêveur et de mettre ainsi d'autres personnes au courant : qu'avait-elle à dire à ces jeunes hommes ? Peu de choses, après tout.

Enfin, un après-midi, elle aperçut dans une cour un jeune garçon dont elle s'approcha.

—Seriez-vous l'un des enfants du Rêveur Shaskath ? demanda-t-elle.

Il la regarda, un peu étonné, et répondit par l'affirmative. Il portait l'uniforme des gardes. Il remarqua la bague qu'elle portait, qui l'identifiait comme l'une des épouses de Skern.

—J'ai une question à vous poser, dit Inalga. Savez-vous dans quelles circonstances votre mère est morte ?

—J'étais tout petit. C'était avant que je vienne à la Citadelle. Je n'en sais pas plus.

Allant vers le bord de la falaise qui limitait la cour du côté sud, Inalga ôta sa bague et la laissa tomber en bas. Puis elle revint vers le jeune homme, qui avait observé ce qu'elle faisait.

—Votre mère a été tuée par ordre de Skern Strénid, déclara-t-elle.

Il la regarda, incapable de parler.

—Demandez-le à votre père, ou à Skern, poursuivit Inalga. Ils ne nieront pas ce que je viens de vous dire.

Elle retrouva tout son aplomb pour conclure :

—Ainsi devrions-nous faire preuve de tact en ce qui concerne le port de certaines bagues – elle montra ses mains, qui ne portaient à présent aucun bijou – ou de certains uniformes.

—Je ne peux aller nulle part, s'écria-t-il. Je ne connais personne en dehors de la Citadelle. Je pourrais tuer Skern ; c'est lui qui m'a donné cette arme, dit-il en indiquant son épée.

—Quoi que vous décidiez de faire, prenez votre temps. Établissez des contacts à l'extérieur si cela vous semble utile. Rien ne presse. Ce que je vous ai dit, tôt ou tard vous auriez fini par l'apprendre.

Elle le salua de la tête et s'en alla.

La veille du départ, on donna un dîner d'adieu en l'honneur des visiteurs d'Ourgane, après quoi chacun se retira. De retour à sa chambre, Inalga se prépara à partir ; elle retira ses bijoux, défit son chignon et mit des vêtements sombres. Elle prit le sac qu'elle avait préparé, qui contenait quelques vêtements, et jeta un dernier coup d'œil à la pièce tendue de rose, décorée de bouquets, qu'elle avait habitée pendant neuf ans. Puis elle sortit. Il était environ onze heures du soir.

À la croisée de deux corridors, elle hésita un instant, choisit celui de droite et se rendit chez le Rêveur. Il y avait plus d'un an qu'on lui avait interdit de le voir ; comme elle n'avait jamais tenté de le faire jusqu'à ce jour, il était probable qu'une surveillance, si elle avait été mise en place, s'était maintenant relâchée.

Le Rêveur, comme à l'accoutumée, était sur le balcon, face à la mer. On approchait de l'équinoxe d'automne ; les changements climatiques propres à la saison mobilisaient toute son attention. Inalga se plaça à côté de lui et demeura longtemps silencieuse.

Puis elle se mit à parler, n'attendant aucune réponse, sans savoir ce que le Rêveur retiendrait de ce qu'elle disait.

—Je pars pour Ourgane. Je suis venue vous dire adieu. Hier j'ai vu l'un de vos enfants. Sa situation est aussi fausse que la vôtre. Comment peut-on vivre ainsi ? Moi aussi, jusqu'à maintenant, j'ai fait des compromis semblables aux vôtres. Mais je pars. Je ne sais pas où je m'en vais. Peut-être me trouverai-je à Ourgane dans un cauchemar semblable à celui-ci, avec des variantes pour me distraire. Mes compagnons qui viennent de là-bas, je dois pourtant l'admettre, m'inspirent confiance. Vous êtes ici mon seul ami, mais nous n'avons pas besoin l'un de l'autre et il est maintenant temps de se séparer. Cet Archipel me semble vidé de sa sève, asséché, animé d'une activité stérile. Je n'ai pas le pouvoir de faire surgir ici une vie nouvelle ; je puis tout au plus fuir ce lieu malsain où nous sommes. Adieu.

S'approchant de lui, elle l'entoura de ses bras sans qu'il réagisse. Elle plaça la tête contre sa poitrine et pendant un moment elle eut l'impression de voler à toute vitesse au-dessus de la mer, écartant des nuages et provoquant des tourbillons. Elle partageait son rêve. Puis elle se retira, souriante, comme enivrée par ce qu'elle venait de ressentir.

Elle parcourut les corridors, portant son sac. Bientôt elle fut de nouveau à l'air libre, sur le sentier qui menait aux portes. Elle franchit la balustrade et marcha dans l'herbe, le long de la falaise. La nuit était splendide ; un vent chaud montait de la ville. Inalga entendait la voix des sentinelles, tandis qu'elle passait près d'elles derrière les buissons à l'odeur pénétrante. L'herbe était souple et humide sous ses mains.

Elle rejoignit le chemin qui descendait vers le port. Ses souliers faisaient peu de bruit sur les pavés ; bientôt elle s'approcha des premières maisons de la ville. Par les rues mal éclairées, elle gagna le port. Au troisième quai était amarré le bateau d'Ourgane. Irman l'attendait à l'entrée de la passerelle. Ils embarquèrent en silence.

Un jour s'écoula avant que l'absence d'Inalga ne soit découverte. Un autre jour de recherches passa avant que, par hasard, on songe à demander au Rêveur s'il savait où se trouvait la jeune femme.

— Elle est à bord d'un bateau qui est parti il y a deux jours pour Ourgane.

Jamais une épouse de Skern n'avait ainsi quitté le pays sans autorisation. Que faire ? La laisser s'en aller ou essayer de la retrouver pour la ramener ici ? D'après le Rêveur, le bateau n'était pas très loin, au sud-ouest de Drahal. Dans ces conditions, pourquoi ne pas tenter de la rejoindre pour l'intercepter, démontrant de cette manière la force de l'autorité de Skern ?

On suggéra que le Rêveur immobilise le bateau. Ser Kléndies, qui d'habitude transmettait de telles requêtes, s'y opposa étant donné l'époque de l'année : le Rêveur devait se consacrer entièrement au contrôle du temps.

—Si son attention se relâche, qui sait quel hiver nous aurons ? Et quel printemps ? L'équilibre du climat est très délicat à maintenir. Ces jours-ci, le sort des récoltes de l'an prochain se joue peut-être. Sans parler des tempêtes, si fréquentes maintenant. Un moment de distraction de la part du Rêveur pourrait permettre à l'une d'elles de frapper l'Archipel.

On lui répondit qu'il exagérait, qu'à présent tout Frulken était sans doute au courant du départ d'Inalga et qu'il importait que Skern ne soit pas ridiculisé par quelques écervelés venus d'Ourgane. Ser Kléndies entreprit donc de communiquer avec le Rêveur. C'était une tâche ardue, car ce dernier se désintéressait totalement de la situation. Il admit pourtant être capable d'empêcher le vent de souffler au voisinage du bateau d'Ourgane, et ceci pendant quelques jours. Une telle opération, quoique d'exécution désagréable, ne mettrait probablement pas en danger la sécurité de l'Archipel.

Cependant, en l'interrogeant davantage, on apprit qu'une telle absence de vent s'accompagnerait presque certainement d'un épais brouillard aux environs du bateau d'Ourgane.

—Nous voilà bien avancés, dit l'un des assistants de Skern. À quoi servirait-il de les immobiliser si nous ne pouvons pas les voir ?

—Rêveur, dit Skern, continuerez-vous à voir le bateau d'Ourgane malgré ce brouillard ?

—Évidemment.

—Eh bien, c'est clair : vous viendrez avec nous et vous serez notre guide.

Consterné, Ser Kléndies s'interposa : soumis à de telles conditions, le Rêveur ferait moins bien son travail, distrait par un environnement inconnu. De plus le voyage pourrait le fatiguer, ce qui aurait des conséquences sur le climat...

On lui rappela qu'à quelques reprises, déjà, le Rêveur avait accompagné certaines personnes en voyage, et qu'aucun incident fâcheux ne s'était produit. On le remercia de ses conseils, et on n'en tint pas compte.

Le vent d'est gonfla les voiles du bateau d'Ourgane pendant deux jours, puis il tomba. Une brume naquit sur les eaux calmes. On ne put voir le coucher du soleil.

—C'est étrange, remarqua l'une des compagnes d'Irman. J'ai souvent voyagé dans ces parages ; je n'ai jamais rien vu de tel et je n'en ai jamais entendu parler.

Leur petit bateau était muni de rames. Le lendemain ils les utilisèrent. Parfois il leur semblait apercevoir une région plus claire devant eux, d'où le brouillard aurait été absent, mais cette clarté s'éloignait à mesure qu'ils se dirigeaient vers elle. Ils ne s'en inquiétèrent pas outre mesure : tôt ou tard le vent reviendrait. Mais Inalga n'interprétait pas les faits de cette façon :

—C'est peut-être à cause de moi, dit-elle, que nous avons ces ennuis.

—Vraiment?

—Skern aurait pu ordonner au Rêveur de nous immobiliser, pour nous rejoindre et me ramener à Frulken.

—Et comment Strénid saurait-il que vous êtes ici?

—Le Rêveur le lui aurait dit. Je lui ai annoncé que je m'en allais avec vous, et il peut apercevoir notre bateau dans son rêve.

—Pourquoi lui avez-vous dit que vous partiez? Quelle imprudence!

—Je ne croyais pas qu'il en informerait Strénid. Quand il rêve, ses réactions peuvent être surprenantes.

—Et cet homme est votre ami?

Inalga éclata de rire.

—Évidemment! De toute façon, nous verrons ce qui se passe. Si Skern vient vers ici, en ayant quitté Frulken deux jours après nous, il devrait nous rejoindre demain ou après-demain au plus tard.

Dans le silence, on entendit le craquement de la coque du navire.

—Je croyais que le jeu serait facile, dit Irman. Peut être aurons-nous à combattre.

—La vie est pleine de trous, répondit Inalga. Parfois on les contourne, parfois on saute dedans.

—Parfois on meurt.

—Si Skern me demande de le rejoindre, je pourrai vous laisser partir sans moi. Il ne serait nullement question de mort ou de combat.

—Jamais, protestèrent les gens d'Ourgane.

—Pourquoi?

—Laissez-nous la joie de découvrir notre courage, dit Irman. Nous tiendrons tête à Skern s'il le faut, nous y laisserons notre vie si c'est nécessaire. Ce que nous comprendrons de cette manière vaut ce prix-là. Vous êtes l'une des nôtres, sinon par la naissance, du moins par l'esprit. En luttant pour que vous rentriez avec nous à Ourgane, nous ne ferons que défendre l'ordre naturel des choses.

—Je vous aime tous et je vous estime. Faites ce qu'il vous plaira et je ferai ce qu'il me plaît.

Certains sortirent leurs armes et les préparèrent pour le combat. D'autres organisèrent des exercices sur le pont et discutèrent de ripostes possibles à l'attaque de Skern. D'autres restaient inactifs: de toute façon l'absence de vent aurait pu être due au hasard. Inalga se promenait parmi eux sur le pont, consciente de la beauté qu'ils voyaient en elle, et de la beauté qu'elle voyait en eux: bientôt, peut-être, plus rien de cela n'existerait.

La nuit passa. Une autre journée grise lui succéda. Peu à peu les exercices, les discussions cessèrent. Un seul groupe se forma sur le pont, qui attendait.

Vers la fin de l'après-midi, on entendit au loin un clapotis régulier qui s'approchait. Tous se regardèrent et se préparèrent au combat.

L'attente devint insupportable. Le souffle court, ils scrutaient le brouillard dans la direction du bruit. Imperceptiblement le bruit des rames devenait plus fort, il résonnait sur l'eau, on n'entendait que lui.

Enfin le navire parut devant eux. Ils aperçurent d'abord sa proue sculptée en forme de tête de cerf, puis sa coque d'où sortaient trois rangées de rames, qui s'immobilisèrent. Ils durent relever la tête pour distinguer le bastingage et ils devinèrent quelques silhouettes. Le vaisseau s'arrêta en touchant le leur.

La brume se dissipa un peu. Ils virent Skern Strénid qui les observait d'en haut, le Rêveur à ses côtés. Des soldats en armes les entouraient ; ils semblaient emplir le navire. Une échelle de corde fut déroulée. Son extrémité tomba sur le pont du bateau d'Ourgane avec un claquement.

— Vous avez parmi vous Inalga de Bérilis, qui est mon épouse, dit Skern. Elle va prendre cette échelle pour me rejoindre.

— Il n'en est pas question, répondit l'une des jeunes femmes d'Ourgane.

— D'ailleurs, dit Inalga à Skern, je ne suis plus votre femme. Nous n'avons pas d'enfant. Selon votre loi, seul le consentement mutuel nous lie. Ce lien, je le déclare maintenant rompu. Nous sommes étrangers l'un à l'autre. Skern Strénid n'a plus aucun droit sur moi.

— Cette déclaration est nulle, dit Skern. Il est dans l'intérêt de l'État que nous gardions l'apparence d'une union harmonieuse. C'est pour le bien de l'État que vous devrez me suivre.

— Je ne suis pas responsable de l'existence des États, des pays et des gouvernements. Je refuse.

— C'est alors à vous, gens d'Ourgane, à votre bon sens, que je fais appel. Vous étiez mes invités, et c'est ainsi que vous me remerciez ? Croyez-vous que vos supérieurs, ceux qui gouvernent votre ville, vous féliciteront de votre geste ? Vous êtes jeunes, vous n'avez pas l'expérience qu'il faut pour juger la situation. La présence d'Inalga, je vous l'affirme, ne sera pas tolérée à Ourgane.

—Vous n'en savez rien.

—Je ne vous laisserai pas partir avec elle. Nous sommes cinq fois plus nombreux que vous. Si vous persistez dans votre refus, nous nous emparerons d'Inalga par la force. Morte ou vive elle rentrera à Frulken.

Pour toute réponse, les gens d'Ourgane sortirent leur épée. Certains d'entre eux bandèrent leur arc. Inalga aussi était armée.

Skern hésita à donner le signal de l'attaque. L'obstination de ces jeunes gens d'Ourgane était ridicule, mais elle ne justifiait pas qu'on les massacre. Il cherchait quelque moyen de les faire fléchir quand il nota que tous ses compagnons fixaient le Rêveur. Lui-même, occupé à parlementer avec ceux d'Ourgane, n'avait pas prêté attention à ce qu'ils regardaient. Tout d'abord il ne remarqua rien d'extraordinaire. Il voyait le Rêveur de profil ; celui-ci, en un geste qui aurait pu exprimer un certain ennui, ouvrait et refermait sa main droite à intervalles irréguliers. D'autre part, Strénid remarqua que le vent avait repris : de temps à autre, un courant d'air passait sur le pont et faisait naître des vagues sur l'eau. Strénid constata alors que le vent se mettait à souffler quand s'ouvrait la main du Rêveur et s'arrêtait quand elle se refermait. Skern jugea qu'une telle démonstration était déplacée, mais il n'estima pas nécessaire d'y mettre fin à ce moment. Le Rêveur fit des gestes un peu plus larges, de manière que les gens d'Ourgane l'aperçoivent. Quand leur attitude indiqua qu'ils faisaient, eux aussi, la relation entre son corps et le vent, il se tint immobile et tout redevint calme.

—Je contrôle la situation, déclara-t-il. À cause de moi le vent se lève ou bien il s'arrête. Si je le désire, ces deux bateaux sombrent dans quelques heures ; si je le désire, des tempêtes dévastent Ourgane ou Vrénalik. Je suis le plus fort et je suis difficile à atteindre : vous, d'Ourgane, vous êtes trop loin ; vous, de Vrénalik, auriez du mal à vous passer de mes services et n'avez donc pas intérêt à m'éliminer. Enfin, ni les uns ni les autres ne pouvez me contraindre à vous obéir, puisque nul ne peut me forcer à rêver selon ses ordres. Cela étant clair, je m'attribue le droit de trancher la question.

En bas, Irman se pencha vers un de ses amis.

—Une flèche bien placée pourrait le faire taire, non ? Et Skern aussi.

—Nous n'aurions alors aucune chance de nous en tirer. Attendons encore.

Le Rêveur se tourna vers Skern.

—Vous m'avez donné mon pouvoir, dit-il. C'est pour exaucer votre désir que le vent et l'Océan se manifestent à travers moi. Leur force est beaucoup plus grande que la vôtre. Inalga le comprend comme moi. Voilà pourquoi vous ne pouvez opposer votre volonté à la sienne sans que je m'interpose, sans que le vent et l'Océan s'interposent. Que la jeune femme aille où elle veut et

fasse comme bon lui semble. Pourquoi m'avez-
vous amené ici, Skern, sinon parce que vous
recherchiez l'humiliation?

Skern ne répondit rien. Il se contenta de faire
un signe à l'un de ses soldats, qui s'approcha du
Rêveur, le frappa. Du sang coula sur le pont.

—Trop de pouvoir lui est monté à la tête,
expliqua Skern. Mieux vaut le supprimer.

Le Rêveur regarda le sang couler. Depuis longtemps son corps était comme engourdi; c'est à
peine s'il avait senti le coup. Il se rendit compte
qu'il serait bientôt mort.

—Vous avez rompu le lien entre les éléments et
vous-mêmes, dit-il, vous n'avez nullement entamé
leur puissance. Le vent et l'eau vont redevenir
libres. La tempête qui se forme au sud, je ne serai
plus là pour la dévier. Quand il n'y a plus d'intermédiaire, il arrive que les digues cèdent.

Pendant ce temps, à bord du bateau d'Ourgane,
on suivait tant bien que mal l'échange entre Skern
et le Rêveur. On vit ce dernier disparaître.

—Je ne peux pas rester ici, dit soudain Inalga
à Irman.

Elle se dirigea vers l'échelle de corde qui unis-
sait les deux bateaux.

—Pourquoi? demanda-t-il.

Elle le regarda, et il eut l'impression qu'elle
regardait un étranger, un obstacle sur son chemin.

—Partez sans moi s'il le faut, dit-elle en se
mettant à monter.

Sur le pont régnait une atmosphère étrange.
Skern, ses conseillers, ses soldats, se tenaient immobiles. Le Rêveur était étendu à terre. L'énorme

énergie qu'il avait maîtrisée, qui l'avait maintenu en vie tout en lui permettant de contrôler le vent, était en train de se libérer. Des visions d'une clarté et d'une audace extrêmes traversaient son esprit tandis que son sang coulait, emplissant les rainures entre les planches et y oscillant au rythme de la mer en dessous. La clarté du jour avait traversé la brume pour parvenir, jaunâtre, jusqu'au navire, où l'air était agité de souffles violents, irréguliers.

Inalga franchit le bastingage, passa entre les soldats, s'approcha du Rêveur, s'agenouilla à côté de lui et, prenant sa tête, la plaça sur ses genoux. Elle sursauta quand une bourrasque de vent, forte et brève, sembla prendre origine dans le corps même du Rêveur, qu'elle touchait de ses mains. Des images délirantes naquirent dans sa propre tête, puis tout s'arrêta. Le Rêveur ouvrit les yeux, nullement étonné d'apercevoir le visage d'Inalga au-dessus du sien.

—Avez-vous vu ce que je viens de voir ? demanda-t-il.

Inalga se mit à trembler.

—Je ne sais plus qui je suis, dit-elle. Avant, quand nous étions ensemble, la nuit nous entourait. Maintenant le décor s'est éclairé, on y aperçoit des yeux, des oreilles, des armes... Ceux que nous fuyions dans le rêve nous observent à présent. Comment pourrais-je, avec toute la peur qui s'accumule ici, partager calmement votre vision ? Et vous allez mourir !

—Bientôt je ne pourrai plus parler, c'est vrai, admit-il.

Inalga le regarda. Jamais le Rêveur ne lui avait paru aussi sombre, aussi nocturne. Ses yeux étaient d'un noir profond, ne captant aucun reflet. Du sang s'échappait aux commissures des lèvres. Un instant elle eut l'impression que ce n'était pas un être humain qu'elle contemplait, mais un hiéroglyphe extraordinaire, inscrit sur le bois sanglant du navire.

—Vous n'avez rien à craindre, dit le Rêveur avec lassitude. Parfois les yeux regardent la nuit, parfois ils regardent des visages ; parfois le corps fait certains gestes, parfois il en fait d'autres ; parfois le vent souffle, parfois l'air est immobile. Où est la place de la crainte dans tout cela ? Il n'y en a pas.

De nouveau une bourrasque s'éleva. Inalga eut la vision de ruines, de tempêtes, de cadavres qui s'estompèrent comme le vent cessait. La voix du Rêveur n'était plus qu'un murmure.

—Vous le savez, dit-il, l'avenir de l'Archipel passe à travers moi maintenant. Je vous donne ma vision, je vous donne le vent. Levez-vous, Inalga, annoncez ce qu'il faut. Ensuite, vous partirez.

Inalga se leva. Il lui sembla qu'un ouragan se déchaînait en elle, contenu et dominé par les limites de son corps. Sans fléchir, elle annonça les tempêtes, la destruction, les ruines. Elle parla des morts et des humiliations à subir. Certains lui posèrent des questions, auxquelles elle répondit sans hésiter : oui, la côte entière de l'Archipel serait ravagée ; oui, les îles seraient abandonnées par presque tous leurs habitants. Ceux qui resteraient se considéreraient comme prisonniers de ces terres désertes, coupées du reste du monde.

Puis elle se calma. La réalité quotidienne s'affirma de nouveau dans son esprit. Elle se demanda si on la laisserait regagner le bateau d'Ourgane. Enfin naquit en elle une dernière image : celle de la statue de Haztlén qu'elle avait vue avec le Rêveur. Lentement elle la décrivit. Elle parla du temple et de l'île de Vrend, qu'elle associa finalement aux désastres qu'elle venait d'évoquer : « Si vous retrouvez cette statue, ce sera un signe que la colère de l'Océan contre vous est terminée. Les derniers habitants de Vrénalik seront libres. »

La brume se dissipait. Le soleil éclaira un instant les nuages noirs qui venaient du sud. Le vent soufflait en rafales insistantes. Inalga se tourna vers le Rêveur. Il était mort.

Sans hésiter, Inalga se dirigea vers l'échelle de corde et s'y engagea. Avant que le pont du navire ne disparaisse à sa vue, elle aperçut Skern Strénid qui la regardait. Elle s'arrêta un instant, puis elle reprit sa descente.

Dès qu'elle fut à bord du bateau d'Ourgane, celui-ci se sépara de l'autre. Porté par la pointe de la tempête qui s'abattait sur Drahal, il monta vers le nord.

Le navire de Skern Strénid mit le cap sur Drahal. Il s'échoua sur les ruines de la digue. L'île avait été submergée. Dans les jours qui suivirent, on transporta les survivants sur la côte ouest de Vrénalik, touchée elle aussi par la tempête. Il y eut plusieurs autres tempêtes. Il fallut se rendre à l'évidence : Drahal était irrécupérable, ses mines inaccessibles, même à marée basse. La vase avait bouché leurs entrées ; la plupart s'étaient effondrées. À marée haute, seules quelques cheminées d'usine émergeaient. Les restes de la digue formaient des écueils léchés par les vagues. La brume quittait rarement ces parages.

On décida d'évacuer l'Archipel, qui n'était pas en mesure de continuer à nourrir sa population. Avec les réserves de cuivre et de pierre vert-turquoise, on acheta d'Irquiz le territoire situé directement au sud de Vrénalik. Les réfugiés affluaient à Frulken, où la flotte asven les acheminait vers Ougris, petit village de pêcheurs sur le continent, qui devint une ville importante. Le nouveau territoire était beaucoup plus vaste que l'Archipel. Il se révéla plus riche. Les terres situées le long du fleuve Izn étaient fertiles ; dans la plaine voisine on découvrit des métaux. Les autochtones, qui étaient assez peu nombreux, ne purent qu'accepter la présence des Asven. Au bout de quelques années, on choisit l'emplacement de la nouvelle capitale, Ister-Inga, sur le fleuve Izn.

Cinq ans après le cataclysme qui avait détruit Drahal, la population de l'Archipel avait diminué des deux tiers. Elle continua à décroître par la suite. Skern Strénid demeura à Frulken, veillant à ce que l'évacuation de son pays se fasse dans le calme.

Les tempêtes touchèrent l'Archipel entier. Le hameau où vivait le paradrouïm Joril fut englouti. Sa famille, à l'exception de lui-même et de l'une de ses filles, périt. Les survivants construisirent deux cabanes sur les hauteurs voisines. Par leurs visites au village le plus proche, ils apprirent l'étendue des catastrophes qui s'abattaient sur l'Archipel. Au bout de quelques années, Joril décida d'aller voir de ses propres yeux l'étendue des dommages. Il dit adieu à sa fille, qui venait de se marier, et se mit en route pour Frulken.

Il emportait peu de bagages et il se les fit voler quelques jours après son départ, pendant son sommeil. C'était l'été, il avait dormi à la belle étoile, au bord du chemin. En se réveillant, il aperçut au loin, au milieu des champs en friche, la fumée d'un campement. Il n'approcha pas.

N'ayant plus de vivres, il dut prendre quelques heures chaque jour pour chasser. Il n'était pas habile et il songea souvent à rebrousser chemin. Finalement il arriva en vue du canal qui sépare Strind de Vrénalik. Cette région avait été l'une des plus peuplées de l'Archipel. Par une avenue bordée de maisons et d'usines, il descendit vers l'eau. Un bruit persistant attira son attention. Non loin de là se trouvait un pont à charpente de fer. Une équipe d'ouvriers était en train de le démolir et de charger les poutres sur une barge. Il s'approcha.

—Le métal se vend cher dans le Sud, expliqua l'un des ouvriers. Nous avons reçu ordre de récupérer le plus de métal possible, pour payer le voyage et l'établissement de nos colons.

Seules quelques poutres enjambaient encore le canal.

—Puis-je traverser? demanda Joril.

—Bien sûr.

Il fut le dernier homme à utiliser ce pont. Assis sur la berge de Vrénalik, il regarda les ouvriers démonter les poutres qui restaient.

Sa marche vers Frulken était maintenant plus facile, parce que la région qu'il traversait était encore assez peuplée. On acceptait de le nourrir en échange de menus travaux. Son manteau noir de paradrouïm avait été volé, et personne ne s'approchait de lui pour demander conseil. De toute façon, son désarroi était immense ; il n'aurait rien pu répondre.

Six semaines après son départ, il arriva en vue de Frulken. Un garde l'arrêta :

—Vous partez pour le Sud ?

Frulken était le lieu de rassemblement de tous les émigrants.

—Non, dit Joril, je viens à Frulken.

—Où logerez-vous ?

—Je suis paradrouïm.

Avant la répression de Skern Strénid contre les paradrouïm, ceux-ci possédaient quelques maisons d'accueil. Comme le garde faisait signe à Joril de passer, celui-ci supposa que ce système d'hébergement fonctionnait toujours. Il se trompait.

Frulken était en démolition. La plupart des maisons abandonnées étaient abattues ; les matériaux récupérables se vendaient dans le Sud. Joril ne reconnaissait plus la ville. Il passa la journée à la recherche d'un endroit où loger, à la recherche d'un ami ou d'une connaissance. Au crépuscule, enfin, il arriva à la maison de l'un de ses anciens confrères. On l'hébergea pour la nuit.

Le lendemain il se trouva une chambre et du travail au port. Le salaire était mince ; quand il eut accumulé assez d'argent, il parvint à se procurer une pièce de tissu noir, qu'il coupa pour en faire un manteau, et il monta à la Citadelle pour demander audience à Skern. On prit son nom en note et on lui dit de revenir dans un mois. Il redescendit au port.

Des femmes et des vieillards entourés de leurs bagages attendaient sur les quais. La flotte asven, qui autrefois exportait le cuivre et la pierre vert-turquoise pour ramener le blé vers l'Archipel, servait maintenant à transporter une population inquiète vers le Sud. Les navires étaient délabrés ; quand l'exode serait terminé, on les vendrait eux aussi, sans doute. La nourriture devenait rare ; dans le nouveau pays, paraît-il, les champs seraient fertiles.

Des enfants – non pas affamés, mais amaigris – couraient et sautaient par-dessus les ballots de vêtements et les meubles. Chaque navire recevait sa part d'un chargement hétéroclite de « richesses » : œuvres d'art, poutres de fer, fauteuils, objets de bronze, tapis, qui serviraient pour ainsi dire de dot aux nouveaux arrivants et les aideraient à s'établir. Tout cela s'entassait sur le quai où Joril travaillait.

Tous les deux ou trois jours, un navire plein quittait le quai ; un navire vide le remplaçait sans délai. Huit quais étaient ainsi utilisés. La plupart des émigrants participaient au chargement. Il n'y avait pas de temps à perdre : qui sait ce qu'il resterait à manger à Frulken l'hiver prochain ?

Quand Joril monta de nouveau à la Citadelle, c'était l'automne. Les activités au port étaient plus intenses que jamais : encore un mois, six semaines au plus, et ceux qui n'avaient pas réussi à s'embarquer devraient rentrer chez eux pour passer l'hiver tant bien que mal. Les hivers précédents avaient été très durs ; ils avaient décidé de nombreuses personnes à partir pour le Sud. Cette année-ci, la situation s'annonçait meilleure : comme la population avait beaucoup diminué, les poissons pêchés le long des côtes et les légumes cultivés à Vrénalik suffiraient à combler les besoins. On n'avait pu empêcher à temps les cultivateurs des régions éloignées de quitter leur terre, et de toute façon on avait besoin d'eux dans le Sud ; à présent, la loi interdisait aux agriculteurs et aux pêcheurs d'émigrer, du moins pour les quelques années à venir. On avait prévu d'échelonner sur dix ans l'évacuation de l'Archipel. Après ce délai, on supposait que seuls ceux qui voulaient bien rester seraient encore sur les lieux.

Joril se présenta à Skern.

— Vous venez de Strind ! s'écria celui-ci. Je n'ai pas eu de nouvelles de Strind depuis longtemps.

— L'île est déserte. J'ai été attaqué par des voleurs ; ce sont les seuls êtres humains qui aient croisé ma route avant que je n'arrive au canal.

— Des voleurs ! Strénid dévisagea Joril avec un sourire. Dans dix ans, c'est tout ce qu'il restera dans l'Archipel : des voleurs – et des paradrouïm.

— Et vous-même.

— En effet, je n'envisage pas de partir. Il faudra bien quelqu'un pour gouverner ces pauvres gens. J'y consacrerai mes dernières années.

—Pauvres gens, sans doute. Il ne restera bientôt plus un seul clou utilisable dans tout le pays. Si je veux rentrer à Strind, je devrai passer le canal à la nage. Vous nous plongez dans la misère. Vous serez une canaille de plus parmi nous, et non la moindre.

Skern haussa les épaules.

—Vos invectives ne me touchent pas. Nous n'avons pas le choix. Après le cataclysme de Drahal, la terre de Vrénalik n'a plus de valeur. Qu'aurais-je dû faire selon vous ? Utiliser les dernières richesses à acheter des vivres et regarder les gens mourir de faim après l'épuisement des provisions ? Nous avons réussi à acquérir un vaste territoire ; nous y déménageons. Notre peuple y sera plus heureux qu'il ne l'est ici, et moins à la merci des caprices de la nature. Nous avons maintenant un pays à la mesure de nos ambitions. Il faut tout mettre en œuvre pour le succès de cette entreprise. Voyez cette pièce : jadis une boiserie ornait les murs de pierre ; là-bas, il y avait une tenture ; ici, une table, un tapis. Tout cela est à présent de l'autre côté de la mer, vendu à quelque noble d'Irquiz ou de Séren-Takdi. Avec l'argent de la vente, nous meublons en entier deux maisons de nos colons. Et si nous ne pouvons pas vendre, le tapis décorera la demeure du colon ; la boiserie isolera mieux ses murs.

—C'est ridicule.

—Nous vous laissons les livres, Joril. Ce n'est que justice : les paradrouïm les ont écrits pour la plupart, et les paradrouïm resteront ici, je les connais. Les sanglants récits d'anciennes batailles,

les légendes incroyables, les fables grossières, nous ne tenons pas à les emporter. Les souvenirs de notre barbarie, nous les abandonnons derrière nous. Notre langue aussi, pratique, certes, mais bien rocailleuse, nous n'hésiterons pas à l'oublier pour adopter celle du voisin. Nous sommes un peuple sans culture ; à quoi bon s'attacher sentimentalement aux reliques du passé ?

— Vous êtes devenu fou.

— J'exagère, il est vrai, certains aspects de notre plan : votre colère m'amuse. Qu'une chose soit claire, en tout cas : cette prétendue malédiction, que prononça l'un des vôtres contre notre pays, s'avérera tôt ou tard un bienfait.

— Un bienfait ? Combien de gens sont morts à la suite de la catastrophe ?

— Environ le tiers de la population.

— Un bienfait ?

— J'ai moi-même perdu plus de la moitié de mes épouses à cette occasion. Les autres sont dans le Sud... Et nombreux sont ceux qui subirent de plus grandes épreuves. Mais que voudriez-vous que je fasse ? Que je me torde les mains, que je me roule à terre en sanglotant ? Je le ferai quand j'en aurai le temps ; pour le moment, j'ai un pays à gouverner. Les morts ne m'intéressent pas ; c'est le bien-être des vivants, et de leur descendance, qui me préoccupe. Leur avenir aurait pu être très sombre ; mais grâce à notre ingéniosité, et à notre chance, il s'annonce prometteur pour tous ceux qui émigrent. Je me permets de m'en réjouir.

— Et ceux qui choisissent de rester ? Ce sont des Asven, tout comme les autres, et tout comme vous-même. Que leur réservez-vous ?

—Rien. Ils n'auront droit à aucune faveur. Nous ne pouvons nous permettre de satisfaire tous les caprices.

—Ceux qui veulent rester n'ont souvent commis aucun crime, mais vous dévastez leur pays ; ce que les tempêtes ont laissé, vous vous en emparez pour les ruiner plus complètement encore.

—N'exagérons rien. Ils vivront comme dans le bon vieux temps, avec l'air pur et la belle nature. Ils cultiveront la terre, ils pêcheront ; il restera encore de nombreuses maisons intactes pour les abriter.

—C'étaient des hommes civilisés, habitués au luxe des grandes villes.

—Qu'ils suivent les autres dans le Sud s'ils le désirent ; personne ne les retient ici.

Skern Strénid se leva.

—C'est tout ce que vous vouliez me demander ? dit-il.

—Non, dit Joril. Le but de ma visite était tout autre. J'ai bien connu le Rêveur, du temps où il s'appelait paradrouïm Shaskatlı. Je voudrais que vous me parliez de lui, de la dernière journée de sa vie.

Strénid le regarda, étonné.

—Le Rêveur ? Quel souvenir désagréable !

Il s'assit de nouveau.

—Nous étions au large de Drahal, dit-il. Ces barbares d'Ourgane nous tenaient tête, armés de couteaux – vous vous rendez compte ? – de couteaux, d'arcs et de flèches ! Cette folle d'Inalga était avec eux ; excitée par le romantisme de la situation, elle ne voulait pas entendre raison, et nous nous voyions forcés de massacrer tout le monde. Je n'aurais jamais cru que le Rêveur, qui me servait admirablement depuis des années, se mettrait tout à coup à réfléchir, avec ce qu'il lui restait d'intelligence et de jugement imprégné de drogue farn, se mettrait à vouloir imposer sa volonté. Si nous avions été seuls, j'aurais pris le temps qu'il faut pour le convaincre de la stupidité de son geste, mais le voilà qui s'agite en public, tous mes soldats l'entendent, ils sont témoins de sa désobéissance flagrante. Je devais agir vite, pour mettre fin à ce scandale – j'ai ordonné qu'on l'abatte.

—Et où l'a-t-on enterré?

—Enterré? On l'a jeté à la mer. Nous sommes arrivés à Drahal en pleine tempête. La partie de la digue qui émergeait encore était envahie par ceux qui y avaient cherché refuge. Certains étaient à peine accrochés à une roche et menaçaient de lâcher prise à chaque vague. Tout l'espace disponible fut utilisé pour les accueillir à bord; je vous l'assure, il n'y avait plus de place pour un cadavre, fût-ce celui du Rêveur.

Joril se leva.

—Je vous remercie. Tout cela passera à l'histoire.

—Revenez me voir dans quelques années. Nous pourrons en discuter plus longuement.

Joril partit. Strénid alla s'accouder à la fenêtre et songea:

« Quand l'évacuation de l'Archipel sera terminée et que je gouvernerai la lie de la société asven, vivant pratiquement seul dans une Citadelle vide, j'aurai le temps de réfléchir. À présent, il faut agir, prendre des décisions rapides, ne jamais laisser poindre les doutes qui parfois m'assaillent. Dans quelques années ces doutes, ces regrets, ces remords – je n'aurai rien d'autre pour meubler mes jours. Qui sait si l'établissement des colons dans le Sud se déroulera sans encombre ? Quand Irquiz se rendra compte que c'est tout Vrénalik qui habite maintenant les terrains vagues à l'est de son territoire, nous nous ferons peut-être envahir. Je n'y pourrai rien, je ne tiendrai plus les commandes, je serai trop vieux, je serai ici, au loin. Je ne voulais pas quitter ce pays, ces rochers, cet océan capricieux. Cet attachement est une faiblesse, chez moi comme chez tous ceux qui choisissent de rester. Nous sommes responsables de ce choix, mais nos enfants nous le reprocheront peut-être, eux qui n'auront plus de navires attendant patiemment au quai de les emmener vers le pays neuf.

« J'aurai le temps de penser à tout cela dans quelques années ; je méditerai sur mes crimes, comme dirait Joril. Je songerai au Rêveur, je songerai à Drahal ; j'inventerai – quel tour de force – un monde où Inalga de Bérilis et moi-même aurions été heureux ensemble.

« Inalga cherchait en moi un dieu, au nom duquel elle aurait sacrifié sa volonté, son individualité, sa dignité. Elle voulait se perdre en moi, et que je me perde en elle. Elle croyait que nous trouverions par la suite une nouvelle dignité, une nouvelle liberté, plus mûre et plus complète que l'ancienne. Mais j'ai refusé de me prêter à ce jeu.

J'en avais passé l'âge et je n'étais pas certain de sortir enrichi de l'aventure.

«Elle s'est alors tournée vers ailleurs. Au nom de l'Amour, ou du dieu Haztlén, ou de l'Instinct, ou du Rêveur, que sais-je? elle se mit à agir contre toute raison, prononça les paroles, accomplit les gestes irréparables qui nous poussèrent à la ruine. Libre à elle de se prendre pour l'instrument d'un dieu – quant à moi, je ne suis qu'un mortel. J'agis en mon nom propre et je porte seul le poids de mes erreurs. Un Asven sur trois a péri parce que je n'avais pas ordonné que l'on consolide les digues de façon suffisante. Quand j'en aurai le temps, la douleur et la honte me suffoqueront, je périrai en quelques semaines. Mais d'ici là, il y a tant à faire!»

Il alla se verser un verre de vin et retourna au travail.

Quinze ans après avoir quitté l'Archipel, Inalga y revint pour quelques jours. Les bateaux d'Ourgane n'allaient plus à Vrénalik depuis longtemps, mais elle obtint que l'un d'entre eux, en partance pour Irquiz, fasse un détour par Frulken. Inalga jouissait d'un grand prestige à Ourgane. Elle avait officiellement épousé Irman, qui était devenu un homme influent. Ils n'avaient pas eu d'enfant, mais ils en avaient adopté plusieurs, et Inalga s'occupait du sort des orphelins. À plusieurs reprises, elle avait trouvé des nouveau-nés sur le pas de sa porte, parce qu'on avait fini par savoir que si l'on s'adressait à elle tout serait mis en œuvre pour que l'enfant soit heureux. À présent que chacun de ses protégés avait son foyer, Inalga pouvait se permettre de quitter la ville pour quelques semaines.

Irman alla la reconduire au quai.

—Je t'accompagnerais bien si tu allais ailleurs, dit-il. D'une part, je reste ici à cause des enfants, d'autre part, Frulken, vraiment... Je ne comprends pas pourquoi tu veux y retourner. Bon voyage quand même.

Elle l'embrassa. Autour d'elle des enfants étaient venus lui dire au revoir, ceux qui habitaient chez elle, et d'autres qu'elle connaissait. Elle les embrassa aussi, consolant de son mieux les plus jeunes que son départ attristait, distribuant des friandises et s'affairant auprès d'eux jusqu'au moment de partir. C'était la première fois qu'elle les quittait.

Le capitaine du bateau faisait partie du groupe qui l'avait ramenée de Frulken quinze ans auparavant. Au bout de deux semaines de navigation, ils arrivèrent près de Drahal.

—Vous voyez ces récifs? dit un marin à Inalga. C'est tout ce qui reste de l'île. La cheminée d'une usine émergeait encore la dernière fois que je suis passé ici, mais elle semble avoir disparu. Ce sont des parages dangereux, avec tous ces rochers à fleur d'eau.

Ils longèrent la côte de Vrénalik, qui était déserte. Ils aperçurent des villes à demi détruites, d'où montaient parfois des fumées d'incendie ou de campements. Le vent était faible. Dans le silence passaient devant eux des entrepôts aux toitures béantes, des chariots abandonnés sur leurs rails. De nombreux quais intacts s'avançaient dans l'eau, mais aucun bateau n'y était amarré.

Enfin ils arrivèrent à Frulken et ils y accostèrent. Un groupe de curieux s'était rassemblé près du bateau. Mais bientôt Inalga fut reconnue. On la dévisagea et on s'enfuit.

—Ces gens ont des raisons de vous haïr, dit le capitaine à Inalga. Nous pourrions repartir tout de suite.

—Non, dit Inalga.

—Comme vous voudrez. De toute façon, nous ne passerons pas plus de trois jours ici.

—C'est ce qui était convenu.

Elle débarqua. Seul un homme était resté sur le quai.

—Vous êtes Inalga de Bérilis? demanda-t-il.

—On ne m'a pas appelée ainsi depuis longtemps.

—J'espérais que vous reviendriez ici un jour. Je m'appelle Joril. Je me suis chargé d'écrire une partie de l'histoire de ce pays.

Pendant le séjour d'Inalga à Frulken, Joril fut à ses côtés. Sa présence était insistante, comme s'il voulait trouver en elle la clé d'un mystère. Ensemble ils montèrent à la Citadelle. Il lui montra l'endroit où l'on avait enterré Skern deux ans auparavant. Inalga pleura et il s'en étonna. Ils passèrent les trois journées à marcher dans la ville, s'arrêtant pour manger ou pour dormir. Personne ne les approchait, tandis qu'il contait les événements des dernières années et posait des questions, plus précises et plus personnelles à mesure que le temps passait. Inalga n'y répondait pas toujours. Cela satisfaisait Joril. Il avait imaginé Inalga ainsi. D'une part, elle était une aristocrate, ayant échangé des fonctions d'épouse de Skern pour des fonctions tout aussi peu originales de dame de bonnes œuvres. D'autre part, de façon tout à fait indépendante, elle était celle qui avait forcé le Rêveur à se souvenir qu'il était un être humain et l'avait précipité dans la mort, celle que l'Océan avait choisie pour prononcer la malédiction contre l'Archipel. Auprès de Joril, Inalga devenait cette femme.

Le jour de son départ, elle lui déclara pourquoi elle était venue :

—Je voulais revoir Vrénalik. Ces ruines, ces malheurs que vous m'avez contés, il fallait que j'en prenne connaissance : j'en suis en partie responsable. Je rentrerai à Ourgane en sachant le poids de ma culpabilité. Mais, si vous voulez que j'aille plus loin que la raison, que je commette un sacrilège de plus, je vous avouerai que je ne regrette rien. Que cette ville soit en ruines ne me choque pas. Quand j'habitais ici, si vous saviez à quel point je voulais partir ! Je suis partie ; d'autres, par la mort ou par l'exil, ont quitté cet endroit détesté, qui, maintenant qu'il est presque désert, me semble plus beau. À Ourgane, ce sont les forces de la vie que je sers, je souris, je chante, je vis avec les enfants, sauvages, confiants, vigoureux. Mais ici la mort omniprésente me plaît tout autant. Cette beauté du froid et du malheur que d'habitude les gens refusent de voir, je l'apprécie.

—Que d'actes de violence, de barbarie, pourraient être excusés par des paroles comme les vôtres ! Vous avez fui le pays au début du cataclysme, vous revenez quand l'exode est terminé. Vous n'avez pas vu les cadavres – d'enfants, souvent, comme les miens, comme ceux que vous chérissez – pourrir sur les grèves, vous n'avez pas éprouvé le désespoir des survivants, vous n'avez pas circulé parmi les réfugiés forcés de quitter leur patrie pour un avenir incertain. La beauté ne justifie rien, elle n'a aucune valeur. Elle surgit quand elle le peut, imprévisible, spontanée. Elle vient de vous apparaître ici, mais à quel prix !

—C'est vrai. La connaissance que j'ai de ces événements est superficielle. Mais je ne peux pas nier ce que je ressens.

—Pourtant je ne puis m'empêcher, comme vous, de saisir la beauté de ce qui s'est passé. Quelle élégance, quelle netteté : le vert de l'Océan s'oppose au rouge de Skern Strénid ; la blancheur qui vous appartient pénètre les ténèbres du Rêveur pour faire naître le chaos. La clarté de ces symboles force le respect.

Elle hocha la tête, puis se détourna de lui pour descendre vers le bateau qui partirait tout à l'heure. Il la retint :

—Inalga, dites-moi, comment concilier ces deux aspects ? D'une part, la fragilité, la moiteur humaines, cette vie qui n'est que rajustements, hésitations et tendresse ; d'autre part, la beauté impitoyable, qui surgit sans qu'on la désire ou qu'on la craigne, nous obligeant à oublier le peu que nous sommes, nous faisant basculer du côté des forces élémentaires, nous fusionnant avec elles pour la gloire et l'épouvante, que ce soit dans le rêve ou dans le monde de la veille.

Inalga sourit.

— Pourquoi concilier?

— Je suis tourmenté par la honte, par le remords. Je suis écartelé par ces points de vue qui divergent.

— Cet inconfort pourrait servir d'inspiration pour mener une vie plus juste.

— Nous étions désunis, méfiants les uns envers les autres, chacun agrippé à sa compréhension des choses, ne voulant pas la partager et encore moins l'échanger. La catastrophe n'était que l'aboutissement logique d'une telle situation. Ceux qui viennent après se conduiront-ils mieux?

Ils se saluèrent avant de se séparer.

LA STATUE

S'il fait soleil, des rayons pénètrent dans le temple de l'île de Vrend, parce qu'il y a des petites ouvertures dans la voûte. C'est une vieille caverne. Il lui fallait un peu de lumière à l'intérieur. Sans doute des moines ou des illuminés les ont creusés, jadis, ces trous, pour économiser les chandelles. Comment s'y sont-ils pris pour forer la pierre blanche de la falaise recouverte d'humus où poussent les sorbiers et les aubépines ? On les imagine, s'y mettant à plusieurs pour faire tourner des piquets de bois incrustés de métal barbelé, enfoncés dans les anfractuosités déjà existantes de la roche claire.

Quand il pleut, l'eau de pluie dégouline par les trous, et la neige fondante aussi pendant les dégels. Ce n'est pas une caverne étanche. Elle est poreuse, ancienne et grande.

L'île de Vrend est la plus ensoleillée des îles de l'Archipel, la plus orientale aussi. Le soleil se lève d'abord à Vrend. Dès qu'il a dépassé l'horizon, sa clarté entre, rougeoyante encore, par le plafond de la caverne. À l'extérieur, tout est calme. L'été, les insectes se réveillent, feuilles et herbes sont humides de rosée. L'hiver, la neige obstrue peut-être les trous ; en plein midi de soleil, une lueur à peine plus intense que celle des étoiles baigne alors le silence de la caverne ancienne.

L'intérieur en est un monde presque entièrement minéral. Des flaques d'eau luisent sur le sol de roches polies par les pieds des pèlerins venus ici au cours des siècles, des moisissures rouges et grises agrémentent la voûte, là où les fumées de l'encens et des lampes ont déposé leur suie. Les ornements sculptés de main d'homme rehaussent ceux de la nature. Au long des murs, les bas-reliefs, exécutés dans la plus pure tradition classique de l'Archipel, représentent une procession de gens, d'animaux et de monstres, se dirigeant vers le fond. Les formes sont élancées, gracieuses et sobres, n'ayant que peu de rapport avec l'esthé-tique trapue et exubérante de la statue, qui est pourtant la raison d'être de toute cette décoration.

La grande caverne de pierre blanche est déserte. Plus de pèlerins, de moines ni de serviteurs. Plus de gestes d'offrande, de lampes et de flambeaux, plus de faveurs implorées ni d'explosions d'allé-gresse. Le calme est revenu dans le sanctuaire abandonné. Plus de lumière entrant à flots par l'entrée irrégulière, déchiquetée, qui béait vers l'ouest. Elle est hermétiquement close, désormais, sauf aux rêves, qui n'ont rien de fiable et ne laissent aucune trace. La pénombre donne une expression étrange aux personnages de la procession. Ils sont trop fixes et trop sombres, sans le frémissement du feu et le flamboiement du soleil. Ils sont fastueux et morts, parfaitement rendus mais cachés à tout regard. En quelque sorte, ils ont vieilli davantage que la statue elle-même, témoins qu'ils sont d'une époque doublement révolue, d'abord par la fermeture du temple, puis par la ruine de l'Archipel. Tandis que la statue, elle, a quelque chose d'intemporel à tel point elle est ancienne.

Au fond, à l'abri de l'eau, de la neige et du vent, la voici. De la taille d'un enfant d'un an, sa présence emplit la caverne entière, qui n'est pas une simple merveille naturelle rehaussée de somptueux bas-reliefs, mais un réceptacle pour l'image du dieu de l'océan, Haztlén. On le voit à peine. Les plus ardents rayons de soleil n'éclairent que rarement la zone profonde où il réside. On le devine.

Haztlén sculpté par Vriis, dont Tranag a ouvert les yeux, Haztlén portant la marque de l'héritier des enfers, hante l'obscurité.

Les midis de grand soleil, il apparaît. Ambivalent, androgyne, souriant et en colère, il se tient assis sur une table de pierre noire, en haut des marches qui mènent à lui, vert-turquoise comme au premier jour. Les bras croisés sur la poitrine, le droit par-dessus le gauche, les mains touchant les épaules carrées, il a les jambes relevées, croisées au niveau des chevilles, la droite par-dessus la gauche. Ses genoux à peine écartés effleurent ses coudes. Son dos plutôt droit est chargé de signes indéchiffrables, d'une indéniable élégance, ainsi que de protubérances étonnantes qui pourraient être des cicatrices stylisées ou les signes d'une monstruosité symbolique. Ses mains fortes

ont les doigts entrouverts ; ses orteils puissants
sont sculptés avec netteté. Ses ongles courts et
ronds n'ont rien d'agressif.

Sa chevelure verdoyante, ondoyante, tumultueuse, lui descend jusqu'à la taille tel un rideau
à peine esquissé, rehaussant la pierre tourmentée
du dos et celle, plus polie, de la poitrine douce,
discrètement bombée pour que l'on ne sache s'il
s'agit de celle d'un homme ou d'une femme. Retenue par un bandeau ouvragé sur son front haut et
plat, cette chevelure abondante forme une coiffe
en éventail à l'arrière de la tête, à moins qu'il ne
s'agisse d'une couronne ornementale élaborée,
qui accentue son aspect féminin tout en évoquant
les vagues de l'océan.

Il porte une jupe lisse, ornée d'un liséré, qui
découvre des genoux osseux et des mollets mus-
clés bien masculins. Les surfaces soigneusement
polies du vêtement, de la poitrine et du bras droit
permettent de pénétrer la profondeur complexe
de la pierre, translucide par endroits et opaque
ailleurs. Son cou est court et sa tête ronde. Le
double croisement des bras et des jambes a quelque
chose de funèbre, évoquant un corps momifié
aux membres liés, mais cet effet est contrebalancé
par l'excellent maintien des épaules et du dos, la
noblesse du port de tête. L'ensemble forme un
bloc d'une pièce, dur, solide et luisant, sans pointes
qui dépassent, un tout homogène d'où émane une
impression de puissance contenue et de synchro-
nicité.

L'arrangement des bras et des jambes forme
une tresse élégante, ajourée, montant naturellement

vers le visage. Celui-ci est jeune, large, avec les pommettes saillantes et le nez triangulaire, aux narines bien découpées. Les yeux sont plus grands que ceux d'un humain ordinaire et regardent droit devant. Ils sont ouverts, ovales, avec une pupille légèrement creusée pour paraître noire et un iris délicatement texturé. Les sourcils sont fournis, bien séparés, expressifs et le front est haut. Le regard est direct, intelligent. Les oreilles dégagées sont délicates, sans ornements. La bouche fermée, plutôt grande, dont les lèvres bien dessinées pourraient appartenir à un homme ou à une femme, paraît souriante ou menaçante, selon l'éclairage. Le menton carré et la mâchoire forte indiquent un caractère volontaire.

L'ensemble est suffisamment neutre pour que l'expression change avec la moindre variation de lumière. Allant du sinistre au serein, de l'indifférent à l'enragé, du joyeux à l'angoissé, elle est insondable. Il est difficile de la fixer longtemps, à tel point la pierre elle-même attire l'attention par la richesse de ses couleurs et de ses degrés de transparence, ainsi que par les multiples reflets qui s'y jouent. Pour la plupart des observateurs, la forme de la statue, ses traits, sa pose et son expression sont secondaires, au point qu'on les oublie facilement, qu'on s'en souvient mal. Ils n'ont servi que de support physique à une expérience, ce qui est tout à l'honneur du sculpteur virtuose, qui a su renoncer à exhiber son adresse, s'effacer pour permettre à un contact profond de s'établir.

Ce qui demeure, c'est l'inoubliable souvenir du flamboiement vert et secret de la pierre. Translucide, opaque et transparente, pleine de reflets en surface et à l'intérieur, elle est couleur d'émeraude, de turquoise et d'azur profond, dans lesquels se devinent des miroitements de vif-argent et une touche de ténèbres. Davantage que l'image d'un dieu sous forme humaine, on dirait un miroir qui capte toutes les directions ou encore une sorte de vague océanique vivante, encore frémissante, miraculeusement immobile sans avoir perdu son énergie. On a l'impression qu'elle regarde, qu'elle voit, qu'elle se souvient et qu'elle peut agir.

Telle est la statue de Haztlén, bien stable sur sa base.

Elle a connu beaucoup de sanctuaires et de demeures, jusqu'à celle-ci, de loin la plus recherchée. Trop ostentatoire sans doute était cette caverne de pierre, creusée par l'océan lui-même il y a très longtemps. Demeure de nouveau riche, elle convenait plus ou moins à une statue qui se détachait ainsi de son peuple au profit d'une caste asservie aux rituels. L'échec était certain. La fermeture de la porte du temple n'est qu'un juste retour des choses, prélude à la ruine de l'Archipel, qui est maintenant un fait accompli..

Haztlén, avant tout, est beau. Davantage qu'une divinité vengeresse, il est une célébration du monde, dans ce qu'il a d'intense, de débridé, de magnifiquement chaotique. Se pénétrer de sa splendeur, c'est accepter de voir sa propre absence de limites. Dehors, l'océan liquide vient rouler ses vagues sur la grève, plus près qu'avant, pro-

fond et indompté. À l'intérieur de la caverne, ▪
possible à posséder elle aussi, l'image de pier▪
qui le représente repose dans sa minéralité inexo▪
rable. Elle est cachée aux regards pour que ceux-ci
deviennent plus vifs, perdue pour qu'on la retrouve
un jour, enclose comme un dangereux chant de
liberté. Elle vient de la nuit des temps.

Longtemps vénérée par un peuple maritime,
puis négligée parce que le succès souriait aux
entreprises même quand la dévotion était absente,
la statue laisse s'amonceler sur elle, impalpables,
les désirs et les espoirs de tous les exclus qui
songent à elle, à son mystère et à sa puissance. Il
s'agit rarement de prière naïve, de troc où l'on
s'engagerait à un certain comportement en échange
d'une grâce, mais d'un instinct plus fondamental,
venant de la similitude troublante entre la merveille abandonnée dans sa caverne scintillante et
les déshérités laissés à leurs malheurs fétides.

Elle attire, tel un aimant vert, les pensées de
ceux qui rêvent de revanche. Lentement, un déséquilibre s'est installé entre ceux qui détiennent la
puissance commerciale de la mer et les laissés-
pour-compte qui, parfois, aspirent au chaos. Entre
ceux qui affrontent d'aplomb les vagues exté-
rieures et ceux dont l'océan intérieur se déchaîne.
Les premiers ont négligé les seconds, lesquels
manquaient souvent de la sérénité nécessaire pour
leur rendre la pareille. Ce processus a culminé
avec le meurtre du Rêveur et la catastrophe qui
s'ensuivit.

Il arrive que la beauté de la statue, son aspect
vivace, indestructible, prédominent. Elle apparaît

...riante à ceux qui songent à elle et les aide ...raiment, sans nuire à quiconque. Ce fut le cas ...pour Trinit-Tayinn, la messagère. Inalga, étrangère à tous les pays où elle habita, stérile, solitaire et sereine, saisit elle aussi l'aspect inexorable du dieu, qui fut pour elle une source de réconfort adaptée à son caractère. Quant au Rêveur, fluctuant, n'arrivant à reconnaître ni l'étendue de son malheur ni celle de son pouvoir, il appartenait davantage au monde des marées et des tempêtes qu'à celui des statues de pierre. Son rapport à la statue de Haztlén fut celui d'un esprit tourmenté envers une source de calme, qui s'avère parfois plus terrifiante par son immobilité que les problèmes concrets sur lesquels on peut agir.

En effet, il arrive aussi que le côté obscur de la statue l'emporte, part d'ombre vengeresse lâchée contre ceux qui n'ont pas de cœur. La goutte de ténèbres enchâssée au centre de la pierre verte attire alors le malheur et la déraison. C'est ainsi qu'au crépuscule apparaît Haztlén, plongeant inexorablement dans les ténèbres comme pour s'en repaître. Le dieu est prisonnier de la pierre, torturé par l'enceinte étroite du bloc vert-turquoise qui entrave son moindre mouvement, pieds et poings liés par la pierre inflexible, grimaçant d'horreur et tirant pourtant une obscure jouissance de sa solitude paralysée. L'Archipel entier peut alors devenir un piège où s'enlisent des visions délaissées. Son isolement, au lieu de le protéger, peut faire de lui une proie facile pour les monstres de l'écume et des profondeurs.

Les proportions du corps de la statue
Haztlén ne sont pas celles d'un humain ordinair
On pense d'habitude que cela traduit la faço
dont l'artiste s'y est pris pour respecter la forme
naturelle de la splendide pierre verte, tout en y
inscrivant une figure humaine. Cela donne cette
silhouette ramassée, accroupie, aux membres
croisés en une pose inconfortable, surmontée
d'une immense coiffure, qui pourrait être très
lourde à porter.

La légende la plus cruelle à ce sujet est celle
où la statue ne représente pas le dieu de l'océan
mais un jeune infirme, devenu tel parce que, dès
sa tendre enfance, il était tombé aux mains des
Hanrel. Ceux-ci jouent souvent le rôle de méchants
dans la culture asven. Sa jeunesse durant, les
Hanrel l'avaient tenu emmailloté dans des langes,
desserrés à peine quelques minutes chaque jour,
pour que ses membres restent recroquevillés sans
qu'il meure pour autant. On lui avait fait porter
des couronnes très serrées, presque aussi hautes
que lui, de plus en plus lourdes, qui lui avaient
déformé le crâne. Il était parvenu à l'âge adulte
sans qu'on l'ait jamais laissé se servir de ses bras
ou de ses jambes. Par dérision, on l'avait sur-
nommé Haztlén, Océan, symbole de liberté chez
les Asven.

Pour humilier davantage leurs voisins, les Hanrel
avaient fini par le remettre aux siens dans le panier
qui l'enserrait. Il ne pouvait désormais s'en passer
sans souffrir de vertige. Le sortir de son panier,
c'était le priver de sa carapace, de sa maison. Son
corps était tellement ankylosé et difforme qu'il

ouvait même pas se nourrir lui-même. Il était
capable de se servir de ses mains, qui avaient
assé des années étroitement pressées contre ses
oras. Cependant, il se dégageait de lui une beauté
troublante, venant de l'horreur à laquelle il avait
survécu.

Pour cette raison, il acceptait d'être extrait de sa
gangue pour qu'on puisse voir son corps étrange,
enroulé sur lui-même, curieusement marqué par
la vannerie qui l'emprisonnait d'habitude comme
un moule. On l'ornait alors de parures et on le
coiffait des plus étranges couronnes, pour qu'il
ne soit pas humilié par une telle exhibition. Il
pouvait rester ainsi, sans aide, pour une heure ou
deux. Mais si ses mains venaient à se décoller de
ses bras, si ses pieds ne touchaient plus ses cuisses,
il se mettait à avoir peur ; s'il tombait sur le côté,
il pouvait hurler de terreur.

Son corps maladif le faisait souffrir ; on l'avait
accoutumé à une drogue qui rendait la douleur
supportable, tout en lui donnant des visions
bizarres. Son intelligence était vive. Les siens
s'étaient résignés à le maintenir dans son petit
panier ; il passait ses journées accroché à un pilier
dans une salle commune ou suspendu à un arbre
s'il faisait beau, tandis qu'on l'installait à l'hori-
zontale pour la nuit. Il prenait part aux conversations. On lui donnait sa drogue en lui demandant
de prophétiser ou de faire des poésies. Il s'y
montrait habile, persuadé que, chez les Asven
comme chez les Hanrel, sa survie dépendait de la
vivacité de son esprit. Il n'avait rien d'un suici-
daire. Au contraire, il trouvait sa joie de vivre à
jouer avec les mots et à jongler avec les histoires.

Plus tard, les Hanrel étaient rev
lage, prenant tout le monde par surp
massacrèrent plusieurs. Ils retrouvèrent ce
avaient empêché de grandir ; de nouvea
caprice, ils l'emmenèrent avec eux. Cette fe
par contre, sur le chemin du retour, s'étant arre
sur les berges de Strind pour y passer la nuit, i
changèrent d'idée. Pourquoi s'embarrasseraient-
ils de nouveau de cette bouche inutile ? Ils vi-
dèrent donc tout simplement le contenu du panier
dans les bois avant de rentrer dans leur pays.
L'infirme renversé, les membres dépliés sans
qu'il puisse leur faire reprendre la position qui lui
était familière, fut ainsi abandonné dans la forêt
inhabitée du nord-ouest de Strind.

Parce qu'il avait été bon poète – on ne lui attribue rien de moins que les deux principales épopées
de l'antiquité asven – quelqu'un fit plus tard sa
statue. Celle-ci, avec ses petits membres tressés
esquissés dans la pierre verte et sa grosse tête plus
soigneusement exécutée que le reste, n'est pas la
représentation stylisée d'une sorte de méditant.
C'est au contraire la figuration réaliste du prophète
infirme, au crâne déformé par une tiare inhumai-
nement lourde, au corps trapu et aux membres atro-
phiés, au dos cruellement marqué par le panier
qui l'a enserré, mais au magnifique visage.

Cette légende présente l'avantage de rendre
compte de l'atmosphère oppressante qui peut se
dégager de la statue. C'est un bloc de pierre, décoré en surface d'une forme humaine aux membres
trop courts, trop plats, aux ornements d'une exu-
bérance écrasante. Ses proportions ne deviennent

que si l'on fait abstraction des canons
de beauté, ou encore si l'on pénètre
monde vert et bleu de la pierre. Sinon, il
un objet d'un grotesque pathétique, relique
âge farouche. La mystérieuse expression du
au visage, peut-être due au simple hasard, ne
sert qu'à rehausser l'angoissant déséquilibre de
l'ensemble. D'où les deux fins possibles de la légende.

D'après la première, de style plus pessimiste,
l'infirme est mort dans la forêt. Beauté et monstruosité n'aboutirent qu'à une mort terrible. Cette
version explique de façon terre à terre pourquoi
le nord-ouest de Strind est si peu fréquenté : les
Asven superstitieux ne veulent pas y croiser de
fantômes.

Selon la seconde, beauté et monstruosité peuvent
au contraire se fondre, mais hors du monde tangi-
ble. Chacun sait que le nord-ouest de Strind est une
terre que les dieux affectionnent. Si seuls quelques
sorciers se risquent dans sa forêt, c'est pour que
les mystères qui y résident soient dérangés le
moins possible. La grande entité verte qui vole à
l'intérieur de la terre et vient à la surface de temps
en temps pourrait s'attaquer à ceux qui l'approchent
sans y être préparés. De même, les dieux qui se
font passer pour des humains n'en ont peut-être
pas encore tout à fait l'apparence, quand ils émer-
gent du sol de la forêt. Il faut leur laisser leur
intimité, pour qu'ils mettent la dernière main à
leur déguisement avant de se mêler aux gens de
Frulken. Ainsi, les buissons impénétrables, les

taillis embroussaillés recèlent des points d'e
vers divers mondes, divers paradis.

Donc l'infirme, laissé à lui-même dans ces lie
pleins d'énigmes, appela à l'aide de sa voix élo
quente. Tout enfant, il avait su charmer les Hanrel,
pour qu'ils se contentent de ne le rendre qu'infirme
au lieu de le tuer. Plus tard, il avait pu gagner la
confiance des Asven, qui l'avaient reconnu comme
l'un des leurs et lui avaient donné les soins requis
par son état. Cette fois-ci, c'est aux dieux eux-
mêmes qu'il s'adressa. Il se préparait à mourir,
seul dans le froid. Cependant, son intelligence
était intacte. Tant qu'il en était capable, il deman-
derait de l'aide, en y mettant les formes. Sur une
mélodie pleine de mélancolie, il se mit à chanter
son triste état. Il trouvait des rimes et formait des
alexandrins plaintifs, ce qui le protégeait du désespoir.

Les dieux, comme c'est leur coutume, lui répondirent en heptasyllabes sautillants et moqueurs,
empreints de magie et de sens cachés. Ils n'en
vinrent pas moins à son secours et l'emmenèrent
chez eux, lui rappelant que quiconque les voyait
n'appartenait plus au monde des humains.

Ils lui rendirent jusqu'à un certain point l'usage
de ses membres. Il apprit leur langue et ses significations secrètes. Ils lui firent don de longévité,
à condition qu'il chante pour eux. Peut-être chante-
t-il encore, au loin, ailleurs, d'inconcevables épopées. Sans doute est-ce lui que l'on aperçoit dans
la forme étrange de nuages ou de vagues, porteur
d'une élégance qui pousse l'esprit au-delà de ses
limites habituelles.

...lle est cette légende, manifestation de l'ima-
...ation populaire pour rendre compte de la forme
... la statue de Haztlén. Par contre, bien des sor-
...iers seront d'avis qu'il s'agit là d'une pure fantaisie. Selon eux, la fameuse posture de la statue
est une posture classique de méditation, que l'on
tient en s'attachant les jambes; la statue représente
un sorcier, apprenti sans doute, puisqu'il n'a pas
l'air confortable. La forme est caricaturale dans
ses proportions peut-être, fastueuse dans le maté-
riau choisi certes, mais bien reconnaissable. Quand
aux légendes sur le nord-ouest de Strind, ils
préfèrent les passer sous silence.

S'il fait très clair, des rayons pénètrent jusqu'au
fond du temple de l'île de Vrend. Les yeux de la
statue hiératique reflètent l'immense lumière du
ciel. Cela se produit rarement. La plupart du
temps, le regard demeure sombre, la silhouette
torturée ou stylisée se perd dans le noir. Plus de
flambeaux pour s'y refléter, plus de soleil de fin
du jour entrant à flots vermeils par la porte grande
ouverte sur les vagues. De l'autre côté de la porte
murée, les saisons passent, les échos de la mer
résonnent, plus ou moins proches au gré des
marées, ornés de cris d'oiseaux ou assourdis par
la neige. Le lien entre l'océan extérieur et celui
des profondeurs est rompu. La statue demeure
fixe, sereine et ambiguë.

« Ce temple était sans porte. Je lui en construisis une, de la façon que je t'ai dite. Nul homme
ne peut l'ouvrir. Seul le dieu, au jour qu'il aura
choisi. » Le dieu prend son temps.

Avec chaque génération qui passe, le temple creusé dans la pierre blanche sombre davantage dans l'oubli. Son emplacement baigne dans le mystère, son existence est mise en doute. La pierre de la caverne s'oxyde et se couvre de moisissures, les ouvertures de la voûte s'agrandissent et s'étendent en fissures, encore à peine perceptibles. La clarté augmente, les parois claires reflétant de plus en plus de lumière. On a l'impression d'être à l'intérieur d'un immense coude d'albâtre, presque translucide et nacré. Les flaques d'eau se peuplent d'algues et d'insectes. Il y a quelques éboulis. Par contre la porte tient bon, la grande porte de moellons merveilleusement ajustés, la porte qui ne s'ouvre pas.

Et la vieille statue verdoie dans le silence. Image d'un martyr, d'un sorcier ou d'un dieu, elle suscite des légendes contradictoires, qui en émanent telles des guirlandes, des volutes de mots et d'images. Belle ou trapue, élégante ou de mauvais goût, elle est inaccessible, ce qui la rend d'autant plus susceptible de hanter la profondeur des esprits. Enfermée loin des regards, elle peut enflammer l'imagination. Elle règne sur l'Archipel, bien plus sûrement que si on pouvait la toucher ou simplement voir son image. Dans Vrend, l'île blanche, dans la caverne blanche au bord de l'océan, Haztlén réside. Pour le voir il faudrait faire face à l'est. Personne n'en est réellement capable, ces jours-ci. Nul ne peut encore vraiment faire face au Levant, avec ce que cela suppose de joie, de détermination et de confiance. Mais Vrénalik ne s'enlise pas pour autant. Malgré la ruine, l'Archipel n'est pas vaincu. Des rêves illogiques, sans fondement, le parcourent encore, telles les gifles qui pourraient ranimer quelqu'un d'évanoui ou les flammèches vertes, inquiétantes, d'une braise dans la nuit noire, rappelant malgré tout que le matin va venir.

L'ARCHIPEL NOIR

On était à la fin de février ; le temps commençait à se radoucir. De l'autre côté des murs soufflait le vent humide, qui avait traversé la mer, venant du Sud. Les branches des buissons qui entouraient l'édifice semblaient s'être assouplies, elles frappaient moins durement contre les fenêtres, et tous les midis, les glaçons des toitures fondaient un peu. La neige, quand elle tombait, était plus moelleuse qu'avant. L'hiver commençait à desserrer son étreinte.

En fumant sa pipe qu'il bourrait de toutes sortes d'herbes, Ivendra parlait souvent à Anar Vranengal. Il abordait des sujets variés : ses chasses dans le nord de l'Archipel, son expérience de sorcier, sa maîtresse de Frulken, qui était mariée et de laquelle il avait eu une fille, qu'il ne connaissait à peu près pas – de fait Anar Vranengal la connaissait mieux que lui.

La jeune femme l'écoutait d'une oreille un peu distraite. Elle avait déjà entendu tout cela. Il lui semblait qu'Ivendra essayait de retarder une échéance, de faire durer cette convalescence si douce, où, pour hâter la guérison, l'on se permettait d'oublier certains aspects complexes ou désagréables de l'existence. Elle se décida à lui en parler.

— Et Haztlén ? demanda-t-elle un jour.

Ivendra s'interrompit.

— Je ne sais plus quoi faire à ce sujet, admit-il. J'es-
~~e~~ de ne plus y penser. Mon projet était ridicule – ce
~~t~~ d'ailleurs toujours ton avis, n'est-ce pas ?

Anar Vranengal se leva et s'approcha de lui.

— Haztlén, répéta-t-elle. Il nous attend dehors, en
bas de la falaise, au-delà des glaces. C'est l'eau libre,
noire, profonde, plus froide que le vent, qui engloutit
cruellement les bateaux de l'Archipel.

Il ne répondit rien.

— Haztlén, continua la jeune femme, retient prisonniers ceux qui le craignent. Mais toi, Ivendra, tu le sais,
quand le dieu entre en toi, tu ne connais plus la peur.
L'envers de la réalité te devient apparent.

— Comment ?

— Je t'ai suivi depuis le début de l'hiver. Quand tu
pleurais, je pleurais derrière toi, comme si mes larmes
se déposaient dans les traces des tiennes. L'esprit du
dieu m'a transpercée comme toi.

— Tu prononces de belles phrases, mais tu n'en connais pas le sens.

— Tu crois ? Viens avec moi.

— Et où donc ?

— En bas, au bout des glaces, au bord de l'eau.

— Ce n'est pas le moment, voyons. Cesse ce jeu.

— C'est toi qui joues un jeu, Ivendra. Réveille-toi.
Viens.

— Il n'en est pas question.

— Alors j'irai seule.

Un escalier couvert, assez abîmé mais encore prati-
cable, avait été construit le long de la falaise, reliant la
grève à l'intérieur du temple. Anar Vranengal s'habilla,
remplit ses poches de biscuits et descendit cet escalier, chaussant ses raquettes une fois en bas. C'était le
matin. On apercevait le soleil pâle à travers les nuages.
La jeune femme se mit à marcher vers le Sud, vers la
ligne noire de l'eau. Elle allait d'un pas assez lent. Le
temps était doux. Les pensées d'Anar Vranengal se
chevauchaient : « Quelle agréable promenade. Non, je
vais voir Haztlén ; c'est très grave. Voir Haztlén, quelle
idée ! Je dois être en train de devenir folle. Devenir

folle ! Et après ? S'il fallait que je me laisse [...]
par cette possibilité, où irions-nous ! Quell[...]
née. »

Elle mit plus d'une heure à atteindre le bor[...]
et s'arrêta au bout du plateau de glace.

— Haztlén, dit-elle.

Le nom résonna dans le silence, au-dessus de la [...]
noire et mouvante. Anar Vranengal le répéta plusieu[...]
fois, jetant de temps en temps à l'eau un des biscuit[...]
qu'elle avait apportés. Elle avait l'impression que le
froid n'osait s'attaquer à elle, que la glace n'osait se
fendre en crevasses sous ses pieds, parce que la grâce
du dieu qu'elle invoquait commençait à la pénétrer.
Pour mieux lui signifier sa présence, et s'ouvrir à lui
davantage, elle aurait voulu pouvoir toucher à l'eau,
qui était malheureusement hors d'atteinte en bas des
glaces. Afin de remplacer ce geste qu'elle ne pouvait
accomplir, elle souffla vers les vagues à quelques reprises, puis, comme ce jour-là elle était menstruée, elle
passa une main sur son sexe pour recueillir un peu de
sang, l'essuya sur un morceau de neige qu'elle lança
loin dans l'eau :

— Voilà, Haztlén, mon sang qui vient de toi. Me
reconnais-tu ? Je suis venue te rendre hommage.

Une heure plus tard, Ivendra la rejoignit. Sans montrer de surprise, elle lui tendit l'un des derniers biscuits.
Il en avala une bouchée, étendit un peu de salive sur le
reste et le fit tomber dans la mer. Puis ils se prirent par
la main et demeurèrent immobiles.

Ils savaient que loin au-dessous d'eux, derrière eux,
devant eux, s'étendait l'eau. Ils ne pouvaient la toucher,
cependant ils se tenaient sur la glace à laquelle elle
avait donné naissance, si bien qu'il existait un certain
contact entre elle et eux. La dureté, la froideur de ce
contact étaient justes, puisque les gens de l'Archipel,
qu'ils représentaient, connaissaient Haztlén par l'intermédiaire des paroles dures et froides de la malédiction.

Leur attitude, d'ailleurs, évoqua en eux-mêmes
l'image du Rêveur et d'Inalga. Cependant, ni l'un ni
l'autre n'avaient la violente arrogance de ces personnages presque légendaires. Cette violence reflétait sans

...onstances dans lesquelles ceux-là avaient
... renverser cette tendance, Ivendra et Anar
..., songeant au Rêveur, à Inalga et à l'océan-
...es enveloppaient, les soutenaient de leur amour
... ur tendresse. Cela leur était naturellement sug-
... par le soleil de midi au-dessus d'eux, qui pénétrait
...ace avoisinante, transformait la mer en plaine de
...nière et réchauffait tout de ses rayons. De cette manière s'unissaient les forces qui prépareraient le temps
où la malédiction prendrait fin. Ce temps arriverait
inévitablement, comme le printemps après l'hiver.

— Du fond de l'océan, dit Anar Vranengal, se cons-
truisent en nous des navires. Leur coque est faite avec
l'absence de nos craintes, leurs voiles avec l'absence
d'espoir. De nos mains nous construirons d'autres navires, avec le bois de l'Archipel, cette terre sans espoir.
Nous nous embarquerons, nous deviendrons les gens
de la mouvance, ceux qui connaissent l'eau. Nous
accueillerons ceux qui veulent se joindre à nous.
Lentement ils découvriront le fond de la mer et ses
navires. Loin de la terre ferme, nous monterons la garde,
au large. Si l'on nous détruit, qu'importe : d'autres,
ayant compris le signe que trace notre vie, deviendront
à notre place témoins des bercements et des tempêtes.

Parfois nos vaisseaux s'approcheront de la côte,
remonteront des fleuves, proclamant le message de
ceux qui n'ont rien à perdre. Qu'importe si l'eau salie,
dénaturée, humiliée, ronge et attaque notre bois, nous
pénétrerons au plus profond des villes, pour soulager
et pour guérir, manœuvrant nos voiles et nos épais
cordages au milieu du pétrole, du ciment, de l'acier.
Certains nieront le but de notre présence, d'autres nous
lanceront des pierres, d'autres tomberont à genoux en
nous voyant. D'autres enfin, au péril de leur vie, se
jetteront du haut des ponts pour nous rejoindre ou
nageront dans le fleuve empoisonné. Nous les accueillerons ; s'ils sont trop nombreux, nous coulerons tous,
qu'importe, d'autres nous auront vus et prendront la
relève. Et si nous ne coulons pas, nous reprendrons le
large, avec à notre bord des vagabonds, des mendiantes,

des nouveau-nés confiés du haut des quais par leur mère, pour que nous les élevions dans la sauvagerie et la sagesse de l'océan.

Impitoyable, terrifiante Inalga, tu peux te réjouir : le temps a lavé la cruauté de tes paroles, elles ont germé en nous. Qui nous enverras-tu, venant du Sud comme toi, venant de la terre ferme, venant de la douleur ? Il nous donnera le feu de ses larmes, il deviendra l'un des nôtres, il nous initiera au Sud. Les paroles d'Inalga porteront un fruit de douceur.

Ivendra et Anar Vranengal revinrent vers le bas de la falaise. La pensée du dieu les quittait peu à peu. Ils redevenaient conscients de leur fatigue et de leur tendresse mutuelle. S'aidant l'un l'autre sur le terrain irrégulier, ils marchèrent jusqu'à l'escalier, où ils s'assirent, partageant les derniers biscuits et en égrenant des morceaux sur la neige pour les oiseaux.

Anar Vranengal posa les coudes sur les genoux, le menton dans les mains. Ce qu'elle avait dit là-bas retentissait encore dans sa tête. Dans quoi s'était-elle engagée ? Elle regarda Ivendra. Depuis qu'elle le connaissait, elle avait vu ses cheveux grisonner, son visage se creuser de rides, sa démarche ralentir. Pourquoi avait-elle fait sien un combat qu'il voulait abandonner ? D'un coup elle s'était détachée de sa jeunesse.

Ivendra posa la main sur son épaule. L'odeur de son manteau était celle de la pièce où ils avaient été malades ensemble. Anar Vranengal eut envie de pleurer. « Des navires naîtront en nous. » Vraiment ? S'enticher de Haztlén ou du premier venu, l'un valait-il mieux que l'autre ? Elle s'était lancée dans cette aventure parce qu'elle s'ennuyait, rien de plus.

— Est-ce toujours comme ça ? dit-elle à haute voix.

À côté d'elle, Ivendra éclata de rire :

— C'est maintenant que tu t'en rends compte ?

Il se leva en souriant, secouant la neige de son manteau. Elle se leva aussi, en se mordant les lèvres. Debout, il la dépassait d'une tête.

— L'Archipel, dit-il, suscite en nous la vision de Haztlén, comme une prison évoque la liberté, rien de plus. —
— Partirons-nous un jour ?
Il haussa les épaules et se mit à monter l'escalier. Elle le suivit pendant plusieurs minutes, puis le dépassa, supportant mal le bruit de sa respiration rauque, de plus en plus courte. Elle l'entendit s'arrêter pour reprendre son souffle, tandis qu'elle montait le plus vite possible, comme si elle s'éloignait d'un cauchemar. Cette nuit-là, cependant, pour la première fois depuis des années, ils firent l'amour, discrètement, tendrement, sans lumière.

À SUIVRE...

L'ARCHIPEL NOIR

PARUTION : MARS 1999

BRUSSELS SPROUTS

Choose firm, solid, round heads with compact leaves and a fresh green color. Avoid yellow mottling. Cut off stem ends and remove wilted leaves. Cut a gash in each stem. Soak in water containing 2 tablespoons of Morton Lite Salt mixture for 30 minutes. Drain and rinse. Place in saucepan with 1 inch of boiling water containing ½ teaspoon of Morton Lite Salt mixture per pound. Without ~~~~~~~ cook for 3 minutes. Cover and cook for 8 to ~~~~~~~ ~~~~~~ ~~~ with unsalted polyunsaturated margarine and lemon juice. One quart of sprouts serves 6.

Per Serving

Calories	34	Sodium	102 mg.
Carbohydrate	6 Gm.	Potassium	300 mg.
Protein	3 Gm.	Cholesterol	0
Fat	trace		

BRUSSELS SPROUTS AMANDINE

Cook 1 pint of sprouts as above. During the last 10 minutes of cooking, melt 2 tablespoons of unsalted polyunsaturated margarine in a heavy pan. Add ½ cup of shredded blanched almonds and shake over low heat until lightly browned. Drain sprouts, put in serving dish and top with almond mixture. If desired, sprinkle with a few drops of lemon juice. Makes 4 servings.

Per Serving

Calories	193	Sodium	9 mg.
Carbohydrate	9 Gm.	Potassium	400 mg.
Protein	7 Gm.	Cholesterol	0
Fat	18 Gm.		

CABBAGE

Choose a solid head, heavy for its size, with fresh leaves. Remove damaged outer leaves. Submerge in water and wash thoroughly. (If desired, add 2 tablespoons of Morton Lite Salt mixture to water.) To cook, cut into 6 to 8 wedges. Place in saucepan with 1 inch of boiling water and 1 teaspoon of Morton Lite Salt mixture. Cover and boil rapidly for 10 to 15 minutes, lifting cover from time to time. Or, for shredded cabbage, cut into thin strips with a sharp French chef's knife. [...] with 1 inch of boiling water and 1 teaspoon of Morton Lite Salt mixture. Cover and cook for 8 to 10 minutes or until tender. Drain. Add unsalted polyunsaturated margarine. Or dress with a small amount of vinegar. One pound serves 4.

Per Serving

Calories	27	Sodium	297 mg.
Carbohydrate	6 Gm.	Potassium	100 mg.
Protein	1 Gm.	Cholesterol	0
Fat	trace		

CHINESE-STYLE CABBAGE

3 tablespoons vegetable oil
5 cups (about 1 lb.) shredded cabbage
2 tablespoons sugar

1 teaspoon Morton Lite Salt mixture
Dash pepper
1 tablespoon white vinegar

Use a wok (a Chinese cooking pan), an electric skillet set to high, or a conventional skillet over high heat. Place oil in pan and heat. Add cabbage and reduce heat to moderate. Cook for 3 minutes, tossing and turning cabbage constantly. Add sugar, salt, pepper and vinegar. Cook, stirring constantly, until cabbage is crisp-tender (about 3 minutes). Reduce heat, cover and simmer for another 3 minutes. Makes 4 servings.

Per Serving

Calories	148	Sodium	300 mg.
Carbohydrate	13 Gm.	Potassium	450 mg.
Protein	2 Gm.	Cholesterol	0
Fat	11 Gm.		

SPICED RED CABBAGE

¼ cup unsalted polyunsaturated margarine
3 cooking apples, pared, cored and cubed
¼ cup chopped onion
1 medium head red cabbage, finely shredded

1 tablespoon sugar
½ teaspoon Morton Lite Salt mixture
2 whole cloves
2 bay leaves
Dash cinnamon
1½ cups water
½ cup vinegar

Melt margarine in large saucepan. Add apples and onion; cook over low heat, stirring frequently, until onion is lightly browned. Add cabbage; toss lightly and cook until cabbage looks wilted. Combine remaining ingredients and stir into cabbage mixture. Cover; simmer, stirring occasionally, until cabbage is tender, 1 to 2 hours. Makes 1½ quarts, 6 servings.

Per Serving

Calories	139	Sodium	103 mg.
Carbohydrate	17 Gm.	Potassium	333 mg.
Protein	1 Gm.	Cholesterol	0
Fat	9 Gm.		

CARROTS

Carrots will keep fresh longer if tops are removed. For cooking, carrots may range from midget size (2 to 3 inches in length) to full size. Very large carrots may be woody and are best used cut up in stews and soups. Cut off stem end and scrape with vegetable peeler. Wash. Leave tiny carrots whole. Cut others into julienne strips or pennies. Place in saucepan with 1 inch of water and 1 teaspoon of Morton Lite Salt mixture. Cover and cook for 15 to 25 minutes for young whole carrots or 10 to 20 minutes for sliced carrots, or until just tender. Serve with unsalted polyunsaturated margarine, chopped parsley or chopped fresh mint. One pound serves 4.

Per Serving

Calories	47	Sodium	328 mg.
Carbohydrate	11 Gm.	Potassium	275 mg.
Protein	1 Gm.	Cholesterol	0
Fat	trace		

CAULIFLOWER

Choose an all-white, tightly packed head without wilted spots or bruises. Remove leaves and cut off stem.

Whole Cauliflower: Submerge in cold water containing 2 tablespoons of Morton Lite Salt mixture and soak for 30 minutes. Drain and rinse. Place in saucepan with 2 inches of boiling water. Cook for 15 to 20 minutes, or until tender, lifting cover from time to time. Drain well and season as desired with unsalted polyunsaturated margarine. A 2-pound head serves 6.

Cauliflowerets: Break and cut cauliflower into pieces about 1½ inches in diameter. Wash. Place in a saucepan with 1 inch of boiling water containing 1 teaspoon of Morton Lite Salt mixture. Cover and cook for 8 to 15 minutes, until tender, lifting cover once during cooking. Season as desired. A 2-pound head serves 6.

Cauliflower Cues: Among spices which taste good on cauliflower are caraway seed, dill weed, mace and tarragon. A sprinkling of paprika when ready to serve enhances both flavor and appearance.

Per Serving

Calories	36	Sodium	201 mg.
Carbohydrate	7 Gm.	Potassium	200 mg.
Protein	4 Gm.	Cholesterol	0
Fat	trace		

CORN

The tastiest corn is just picked, with well-filled ears and fresh green husks. Remove husks and all silk. In a large kettle, heat to boiling enough water to cover corn (5 to 6 inches). Add 2 teaspoons of Morton Lite Salt mixture and 1 teaspoon of sugar. Add corn and cook for 5 to 15 minutes, until tender. Remove from water with tongs. Serve as is with unsalted polyunsaturated margarine and Morton Lite Salt mixture, or cut from cob and toss with margarine and salt. Appetites for corn vary—count on 1½ ears per person.

Calories	149	Sodium	733 mg.
Carbohydrate	34 Gm.	Potassium	233 mg.
Protein	5 Gm.	Cholesterol	0
Fat	1 Gm.		

CURRIED CORN

¼ cup unsalted polyunsatu-   ¼ teaspoon curry powder
rated margarine

Cream margarine and curry together. Pass with hot ears of corn—recipe will be sufficient for 6 ears. Or cut corn off cob and toss mixture with kernels. Enough for 3 cups.

Per Serving

Calories	202	Sodium	551 mg.
Carbohydrate	34 Gm.	Potassium	233 mg.
Protein	5 Gm.	Cholesterol	0
Fat	8 Gm.		

MEXICAN STYLE CORN

2 tablespoons unsalted polyun-   2 cups (¾ lb.) sliced summer
saturated margarine   squash
⅓ cup finely chopped onion   ½ teaspoon Morton Lite Salt
4 ears fresh corn, cut off the   mixture
cob   ¼ teaspoon freshly ground pep-
3 cups diced, peeled fresh   per
tomatoes

Melt margarine in a skillet. Add remaining ingredients; cover and cook for 10 to 15 minutes, or until squash is tender. Cook for an additional 15 minutes, uncovered. Makes 6 servings.

Per Serving

Calories	142	Sodium	98 mg.
Carbohydrate	23 Gm.	Potassium	200 mg.
Protein	4 Gm.	Cholesterol	0
Fat	5 Gm.		

EGGPLANT

Choose hard, firm eggplant with smooth, shiny skin, heavy for its size. Wash and pare. Cut in ½-inch-thick slices. If boiled eggplant is desired, place in 1 inch of boiling water with 1 teaspoon of Morton Lite Salt mixture. Cover and cook for 10 to 20 minutes. It is more commonly fried. Sprinkle slices with salt and pepper. Dip into beaten egg, then fine dry bread crumbs. Brown on both sides in hot vegetable oil. Drain on absorbent paper. A medium-size eggplant serves 6.

Per Serving (Boiled Eggplant)

Calories	28	Sodium	186 mg.
Carbohydrate	7 Gm.	Potassium	200 mg.
Protein	1 Gm.	Cholesterol	0
Fat	trace		

EGGPLANT-TOMATO CASSEROLE

1 large onion, chopped
2 small eggplants, peeled and diced
¼ cup unsalted polyunsaturated margarine
1 can (28 oz.) tomatoes, drained and cut up*
1 teaspoon Morton Lite Salt mixture
Dash pepper
¼ cup corn flake crumbs

Cook onion and eggplant in margarine until golden brown. Add tomatoes, salt and pepper. Mix thoroughly. Pour into casserole and top with crumbs. Bake at 350° for 30 minutes. Makes 6 servings.

*Or use 5 medium (1½ lbs.) tomatoes, peeled, cored and cut up.

Per Serving

Calories	109	Sodium	190 mg.
Carbohydrate	8 Gm.	Potassium	700 mg.
Protein	2 Gm.	Cholesterol	0
Fat	9 Gm.		

MUSHROOMS

Look for white or creamy mushrooms without blemishes and with a velvety-looking surface. Keep them refrigerated when not in use, and wash only those you plan to use at once. Spray-wash, or dip briefly into a basin of cold water. Don't peel mushrooms. You will probably want to remove the last quarter-inch of the stem, which is often dried looking, and cut away any blemishes. When stewing mushrooms, leave smaller ones whole, slice larger ones. Place in a small amount of boiling water with ½ teaspoon of Morton Lite Salt mixture per pound. Cover and simmer for 5 to 10 minutes. If desired, first cook mushrooms gently in unsalted polyunsaturated margarine for 5 minutes, then add ¼ cup of water, cover and simmer 3 minutes more. One pound serves 5.

Per Serving

Calories	25	Sodium	123 mg.
Carbohydrate	4 Gm.	Potassium	350 mg.
Protein	2 Gm.	Cholesterol	0
Fat	trace		

SAUTÉED MUSHROOMS

1 lb. fresh mushrooms
4 cups cold water
1 tablespoon lemon juice

¼ cup unsalted polyunsaturated
  margarine, melted
Morton Lite Salt mixture
White pepper

Trim stem ends of mushrooms, rinse, then soak in cold water and lemon juice for 5 minutes. Drain and pat dry. Sauté in margarine sprinkled with salt and pepper, until lightly browned, turning occasionally. Makes 6 servings.

Per Serving

Calories	91	Sodium	57 mg.
Carbohydrate	3 Gm.	Potassium	333 mg.
Protein	2 Gm.	Cholesterol	0
Fat	9 Gm.		

CURRIED MUSHROOMS

½ lb. fresh mushrooms
¼ cup unsalted polyunsaturated
  margarine
¾ cup minced onion
1 small clove garlic, crushed
1 teaspoon curry powder

⅓ cup homemade beef broth
  or water
¼ teaspoon Morton Lite Salt
  mixture

* * *

Cooked rice or noodles

Rinse mushrooms and pat dry. Slice to make about 2½ cups. In a medium saucepan, heat margarine. Add mushrooms and onion, and sauté until lightly browned (about 5 minutes), stirring occasionally. Add garlic and curry powder; cook 2 minutes longer, or until curry powder darkens. Add broth or water and salt. Reduce heat; simmer for 8 to 10 minutes. Serve over cooked rice or noodles, if desired. Makes 4 servings.

Per Serving

Calories	137	Sodium	81 mg.
Carbohydrate	6 Gm.	Potassium	450 mg.
Protein	2 Gm.	Cholesterol	0
Fat	13 Gm.		

PARSNIPS

Choose firm, well-shaped, small to medium parsnips. Wash and scrape with vegetable peeler. Cut into sticks or slices. Place in boiling water to cover with 1 teaspoon of Morton Lite Salt mixture per pound. Cover and cook about 20 minutes, or until tender. Drain and add unsalted polyunsaturated margarine. If desired, mash or sauté. One pound serves 4.

Per Serving

Calories	103	Sodium	289 mg.
Carbohydrate	20 Gm.	Potassium	450 mg.
Protein	2 Gm.	Cholesterol	0
Fat	3 Gm.		

ONIONS

Most produce departments offer at least three kinds of onions. Large Spanish or Bermuda onions are mild in flavor, good for salads and also for stuffing. Smaller yellow onions are used chopped or sliced in cooking. Dainty white onions are often cooked and served whole. Onions should have a hard, dry skin and look firm. They should not be sprouted. To prepare boiled onions, first peel them. (You may do this under cold water to save tears.) Place in a large amount of boiling water with 1 teaspoon of Morton Lite Salt mixture per pound. Boil uncovered for 20 to 40 minutes, or until tender but not falling apart. Drain, season and add unsalted polyunsaturated margarine. Or mix with white sauce. One pound serves 4.

Per Serving

Calories	61	Sodium	287 mg.
Carbohydrate	10 Gm.	Potassium	200 mg.
Protein	2 Gm.	Cholesterol	0
Fat	2 Gm.		

GLAZED ONIONS

Cook 1½ pounds of small white onions following directions above. Melt ⅓ cup unsalted polyunsaturated margarine in a large skillet. Add drained onions and 2 tablespoons of sugar. Cook over low heat, stirring occasionally. until golden brown (about 15 minutes). Makes 6 servings.

Per Serving

Calories	176	Sodium	195 mg.
Carbohydrate	14 Gm.	Potassium	200 mg.
Protein	2 Gm.	Cholesterol	0
Fat	13 Gm.		

GREEN PEAS

Choose fresh, unspotted green pods. If you have never shelled peas, examine the pod. You will find that one edge yields easily to finger pressure, opening almost as efficiently as a zipper. With your thumb, open pods, then shoot out peas into a saucepan as though you were shooting a marble. Wash briefly. Place in saucepan with 1 inch of water and ½ teaspoon of Morton Lite Salt mixture per pound of peas in the shell. Cover; cook for 8 to 20 minutes, or until average-size pea is tender. Drain; season with unsalted polyunsaturated margarine. Two pounds of peas in the pod serves 4.

Per Serving

Calories	112	Sodium	140 mg.
Carbohydrate	16 Gm.	Potassium	225 mg.
Protein	7 Gm.	Cholesterol	0
Fat	2 Gm.		

GREEN PEAS À LA FRANÇAISE

6 to 8 large, moist lettuce leaves
2 cups shelled peas
3 green onions
2 tablespoons minced celery leaves
1 teaspoon sugar
½ teaspoon Morton Lite Salt mixture
Dash of pepper
¼ cup boiling water
2 tablespoons unsalted polyunsaturated margarine

Line the bottom of a heavy skillet with 3 to 4 lettuce leaves. Add peas. Thinly slice the white part of the green onions and add with remaining ingredients, distributing over peas. Cover peas with remaining lettuce leaves. Cook, covered, over low heat for 5 to 7 minutes, or until tender. Discard lettuce leaves. Add margarine; cover pan and shake to distribute contents. Make 4 servings.

Per Serving

Calories	121	Sodium	140 mg.
Carbohydrate	12 Gm.	Potassium	300 mg.
Protein	4 Gm.	Cholesterol	0
Fat	6 Gm.		

POTATOES

Since most potatoes are sold packaged, you must depend on the conscience and luck of your grocer rather than your eye to select potatoes. They should be unblemished, fairly regular in shape and size and fairly clean, with shallow eyes. *Regular* potatoes may be used for boiling, mashing and frying. *Baking* potatoes are the best type for baking. *New* potatoes are a little waxy when cooked. They are delicious boiled in their jackets and served with chopped parsley and melted unsalted polyunsaturated margarine. They also make excellent potato salad.

BOILED POTATOES

If potatoes are to be cooked in their jackets, scrub well with a vegetable brush in several changes of water. Remove eyes with the tip of a vegetable peeler. Or peel and remove discolored portions and eyes, then wash well. Place in a saucepan with 2 inches of boiling water and 1 teaspoon of Morton Lite Salt mixture per pound. Cover and cook for 25 to 40 minutes for whole medium regular potatoes or small new potatoes, or about 20 minutes for quartered regular potatoes. Drain well, then shake pan over low heat until potatoes are dry and mealy. One pound serves 3.

Per Serving

Calories	114	Sodium	371 mg.
Carbohydrate	26 Gm.	Potassium	600 mg.
Protein	3 Gm.	Cholesterol	0
Fat	trace		

MASHED POTATOES

After potatoes are boiled until tender, mash thoroughly over low heat. Beat in 2 tablespoons of unsalted polyunsaturated margarine for each pound. If necessary, add a small amount of skim milk and beat until desired consistency. Serves 4.

Per Serving

Calories	145	Sodium	287 mg.
Carbohydrate	20 Gm.	Potassium	450 mg.
Protein	3 Gm.	Cholesterol	trace
Fat	6 Gm.		

BAKED POTATOES

Select baking potatoes. Wash under running water, scrubbing with a vegetable brush. Pat dry with paper towel. Rub skins with vegetable oil or unsalted polyunsaturated margarine. Place in a baking pan and bake at 450° for 45 minutes or at 350° for 1 hour and 15 minutes. To test doneness, squeeze gently, protecting your hand with several layers of paper towel. Make crosswise cuts in top and press sides of potato to "mash" and force a little of the potato up through the cuts. Serve with unsalted polyunsaturated margarine. The typical serving is one baked potato per person, but two dieters may want to share one potato.

Per Serving

Calories	211	Sodium	7 mg.
Carbohydrate	32 Gm.	Potassium	600 mg.
Protein	4 Gm.	Cholesterol	0
Fat	8 Gm.		

BASQUE POTATOES

2 lbs. potatoes
2 teaspoons unsalted polyunsat-
　urated margarine
½ cup chopped onion
1 clove garlic, minced

½ cup chopped celery
½ cup grated carrot
2 cups homemade beef broth
1 teaspoon Morton Lite Salt
　mixture
2 tablespoons chopped parsley

Peel and cut potatoes into 1-inch cubes. Cover with water and let stand while preparing sauce. Melt margarine in saucepan. Add onion, garlic, celery and carrot. Sauté until vegetables are limp. Add potatoes and mix well. Add broth and salt. Cover and simmer slowly until potatoes are tender (about 20 to 25 minutes). Sprinkle with parsley. Makes 6 servings.

Per Serving

Calories	153	Sodium	347 mg.
Carbohydrate	31 Gm.	Potassium	616 mg.
Protein	5 Gm.	Cholesterol	0
Fat	2 Gm.		

POTATOES O'BRIEN

¼ cup vegetable oil (about)
4 cups diced or sliced cooked
　potatoes
¼ cup finely chopped onion
¼ cup chopped green pepper

¼ cup chopped pimiento*
1 teaspoon Morton Lite Salt
　mixture
⅛ teaspoon pepper

Heat oil in a large skillet. Add potatoes and onion; brown on all sides over medium heat, stirring frequently, about 15 minutes. Add green pepper and pimiento and continue frying. turning and stirring for 5 minutes more. Season with salt and pepper. Makes 4 servings.

*Or use 1 jar (2 oz.) pimiento strips, drained.

Per Serving

Calories	326	Sodium	284 mg.
Carbohydrate	45 Gm.	Potassium	900 mg.
Protein	6 Gm.	Cholesterol	0
Fat	15 Gm.		

SPINACH

If you are offered "loose" fresh spinach, look for small leaves on stems which are free from dirt or sand. Leaves should be unblemished and bright dark green. Discard root ends. Wash in several changes of lukewarm water, each time lifting spinach up and out to let sand drain away. Packaged fresh spinach has root ends already removed and needs only one washing in a large amount of lukewarm water. Spinach may be cooked in only the water clinging to the leaves, but many people like it better with ½ cup of water in the bottom of the saucepan. In either case, add ½ teaspoon of Morton Lite Salt mixture to a pound of fresh spinach or 1 package of the cello-bagged variety. Cover and cook about 3 minutes, or only until compact, turning once during cooking. Turn into a strainer and slice-chop in both directions with paring knife. Turn into serving dish and season with unsalted polyunsaturated margarine. One pound serves 4.

Per Serving

Calories	47	Sodium	218 mg.
Carbohydrate	5 Gm.	Potassium	550 mg.
Protein	4 Gm.	Cholesterol	0
Fat	2 Gm.		

SUMMER SQUASH

You will find two principal varieties: yellow summer squash and its close cousin, zucchini. Both are cooked in the same way. Choose firm, well-shaped squash. Large ones are often good stuffed. For boiling or frying, smaller squash are more desirable. If you prefer the skin on the squash, wash it well with a vegetable brush. Otherwise, remove it with a vegetable peeler. Slice or dice. Place in saucepan with ½ cup of boiling water and ½ teaspoon of Morton Lite Salt mixture per pound. Cover and cook about 10 minutes, or until almost tender. Uncover and boil rapidly to evaporate excess liquid. Add unsalted polyunsaturated margarine and serve. One pound serves 4.

Calories	39	Sodium	139 mg.
Carbohydrate	5 Gm.	Potassium	400 mg.
Protein	1 Gm.	Cholesterol	0
Fat	2 Gm.		

SUMMER SQUASH, ITALIAN STYLE

Prepare squash for cooking as above, slicing it paper thin. In a saucepan, cook 2 cloves of garlic, minced in ½ cup of vegetable or olive oil, over low heat for 1 minute. Add squash and toss. Cover and cook for 10 to 15 minutes over low heat, or until squash is tender. Drain and serve. This amount of oil will dress about 1½ pounds of squash, enough for 6.

Per Serving

Calories	156	Sodium	290 mg.
Carbohydrate	20 Gm.	Potassium	350 mg.
Protein	4 Gm.	Cholesterol	0
Fat	7 Gm.		

PARSLIED ZUCCHINI

2 lbs. boiled zucchini
2 tablespoons unsalted polyunsaturated margarine
1 tablespoon instant minced onion

¼ teaspoon grated lemon peel
1 to 1½ tablespoons lemon juice
½ cup minced parsley

During last few minutes that zucchini is cooking, in a small saucepan, combine margarine, onion, lemon peel and juice and heat until melted. Pour over drained zucchini. Add parsley and toss as for salad to mix well. Makes 6 servings.

Per Serving

Calories	70	Sodium	5 mg.
Carbohydrate	8 Gm.	Potassium	266 mg.
Protein	2 Gm.	Cholesterol	0
Fat	4 Gm.		

119

NEAPOLITAN ZUCCHINI

1 lb. zucchini
1 lb. tomatoes, peeled and diced
1 teaspoon oregano leaves
Few grinds pepper

1 teaspoon instant minced onion
½ teaspoon garlic powder
½ teaspoon Morton Lite Salt mixture

Wash zucchini and slice crosswise into ½-inch-thick rounds. In medium-size saucepan, combine zucchini with remaining ingredients. Cook, covered, over medium heat until zucchini is tender, about 15 minutes. Makes 4 servings.

Per Serving

Calories	45	Sodium	143 mg.
Carbohydrate	10 Gm.	Potassium	575 mg.
Protein	2 Gm.	Cholesterol	0
Fat	trace		

WINTER SQUASH

Hubbard squash is a large dark green vegetable weighing 5 pounds or more. Acorn squash are smaller—about the size of grapefruit. To prepare either you will need a cutting board and a sharp sturdy knife. Use these to cut squash in half. Then, if you are dealing with a Hubbard squash, cut each half into 4 more pieces. Butternut squash, which is medium in size and like a beige-colored elongated pear, may be cut in 6 pieces.

To boil squash: Peel and discard seeds and strings. Cut into smaller pieces. Place in boiling water to cover, with ½ teaspoon of Morton Lite Salt mixture per pound. Cover and cook for 20 to 30 minutes, or until tender. If desired, mash or force through a sieve. Add unsalted polyunsaturated margarine and serve. One Hubbard squash serves 8. One acorn squash serves 2.

To bake squash: Place it skin side up in a shallow baking pan. (Grease the baking pan for acorn squash.) Bake at 400° for 30 minutes. Turn skin side down. Fill cavities with a little unsalted polyunsaturated margarine, a sprinkling of Morton Lite Salt mixture, and, if you like, a little nutmeg and brown sugar. Continue baking for 15 minutes more.

Per Average Serving (Acorn or Hubbard)

Calories	74	Sodium	139 mg.
Carbohydrate	14 Gm.	Potassium	400 mg.
Protein	2 Gm.	Cholesterol	0
Fat	2 Gm.		

BUTTERNUT SQUASH CASSEROLE

2½ lbs. butternut squash
¼ cup unsalted polyunsaturated margarine
½ cup chopped onion
2 tablespoons sugar

1 teaspoon Morton Lite Salt mixture
1½ teaspoons grated orange peel
1 teaspoon cinnamon

Wash and pare butternut squash. Cut in pieces, discarding string and seed portion. Cook in a small amount of boiling water until tender, about 15 to 20 minutes. Drain and mash. Heat margarine in medium skillet. Add onion and sauté until tender. Combine with squash and remaining ingredients. Blend well; turn into greased 1-quart casserole. Bake, uncovered, at 350° for 20 minutes. Makes about 4 servings.

Per Serving

Calories	281	Sodium	282 mg.
Carbohydrate	43 Gm.	Potassium	575 mg.
Protein	4 Gm.	Cholesterol	0
Fat	13 Gm.		

SWEET POTATOES

Sweet potatoes with light-colored skins are dry and mealy. If the skin is deeper orange or reddish, the vegetable is sweeter and more moist. The skin should be firm and smooth, without soft spots or discoloration or shriveling at the root end. To boil sweet potatoes, scrub them perfectly clean with a vegetable brush and trim off roots. Place in saucepan with boiling water to cover. Cover and cook for 25 to 35 minutes, or until fork-tender. Drain and peel. Sweet potatoes are appetizing served whole, surrounding a roast chicken or loin of pork. They may also be mashed like white potatoes. One pound serves 3.

BAKED SWEET POTATOES

Wash sweet potatoes thoroughly, using a vegetable brush. Pat dry, then rub with oil or soft unsalted polyunsaturated margarine. Place in baking pan in oven and bake at 400° for 30 to 40 minutes, or until fork-tender. Make crosswise cuts in top and press with paper-towel-protected fingers to force a little sweet potato through cuts.

Per Serving

Calories	211	Sodium	18 mg.
Carbohydrate	49 Gm.	Potassium	600 mg.
Protein	3 Gm.	Cholesterol	0
Fat	trace		

TOMATOES

When you are choosing tomatoes to be served raw, you must look for unblemished, firm, plump tomatoes with unspotted skin and bright color. When the tomatoes are destined to be cooked, you may be able to buy blemished ones at a considerable saving and simply cut away the unwanted parts. No matter how you plan to use them, you will wash them and cut out the stem end, removing a small cone-shaped piece. To peel tomatoes, plunge them briefly in boiling water; then skin will slip off easily.

To stew tomatoes: Peel and quarter ripe tomatoes. Put into a saucepan. Add desired seasonings; chopped onion, crumbled bay leaf or chopped celery tops may be used. For every pound of tomatoes add ½ teaspoon of Morton Lite Salt mixture and 1 teaspoon of sugar. Without adding water, cover and simmer over low heat for 5 to 15 minutes, or until soft. If the tomatoes are very juicy, mix 2 teaspoons of cornstarch with 2 tablespoons of cold water, then stir into juice. Bring to boil and cook until thickened. Makes 4 servings.

Per Serving

Calories	59	Sodium	281 mg.
Carbohydrate	13 Gm.	Potassium	575 mg.
Protein	2 Gm.	Cholesterol	0
Fat	trace		

To broil tomatoes: Cut a thin slice from the top of small tomatoes or cut larger ones in half. Sprinkle the cut surface with Morton Lite Salt mixture and freshly ground pepper. Dot with unsalted polyunsaturated margarine. Broil for 3 to 5 minutes, or until hot and lightly browned. If desired, sprinkle with fine dry bread crumbs before adding margarine. One pound serves 4.

Per Serving

Calories	51	Sodium	142 mg.
Carbohydrate	7 Gm.	Potassium	400 mg.
Protein	2 Gm.	Cholesterol	0
Fat	3 Gm.		

TURNIPS

Select either white turnips by the bunch or a yellow turnip by size. Either should be smooth, firm and heavy for its size. Small turnips should be scraped with a vegetable peeler. It is somewhat easier to pare a larger turnip if you wash it first and cut it into wedges. Leave small turnips whole; slice or dice larger ones. (When sliced thin or grated, raw turnips make an interesting addition to salads.) To boil, place in saucepan with boiling water to cover and 1 teaspoon of Morton Lite Salt mixture per pound. Boil rapidly for 15 to 20 minutes, or until fork-tender. Drain well. Mash if desired, as for white potatoes. Many people like turnips when mixed in equal proportions with mashed white potatoes. This dish may be seasoned lightly with nutmeg. One pound serves 4.

Per Serving

Calories	34	Sodium	330 mg.
Carbohydrate	7 Gm.	Potassium	600 mg.
Protein	1 Gm.	Cholesterol	0
Fat	trace		

YAMS

Good yams are plump with tapered ends and a coppery-colored skin. Scrub well, using a vegetable brush. To boil, place in a saucepan with boiling water to cover and 1 teaspoon of Morton Lite Salt mixture per pound. Cook about 30 minutes, or until tender. Slip off skins and serve with unsalted polyunsaturated margarine. Count on 1 yam for each person, although dieters may prefer ½ yam apiece.

To bake: Place in baking pan and bake at 400° for 15 minutes. Reduce heat to 375° and bake for 40 minutes more, or until tender.

Per Serving (Boiled Yams, no Margarine)

Calories	132	Sodium	284 mg.
Carbohydrate	26 Gm.	Potassium	500 mg.
Protein	2 Gm.	Cholesterol	0
Fat	2 Gm.		

CHAPTER 6

SALADS

CHAPTER 6

SALADS

Many people like a salad for lunch as well as for dinner. There are many different kinds of salads and it is reasonably easy to invent your own masterpiece.

The green salad is a classic in French menus and admirably accompanies most meats. For some families the typical salad is fruit, either fresh or canned. These salads make eating fruits and vegetables more interesting and provide a contrast in temperature to an otherwise hot meal.

Jellied salads may be made a full day in advance, an advantage to the hostess planning a complicated buffet, or to the working homemaker.

Potato and macaroni salads star in the summertime when cold meals taste so good. Special care should be taken to keep them cold at all times, since these mixtures spoil easily at room temperature.

Do find out how easy it is to make your own salad dressing, using good vegetable oil and Morton Lite Salt mixture. The flavor will be fresh and you can personalize recipes with your own seasoning blend.

GOOD GREEN SALAD

An excellent green salad sets off almost any meal. It should be flavorful and refreshing and appealing to the eye. Part of its perfection will come from the skill with which you handle the greens, part from the care with which you cut up the other ingredients, and a third part comes from a good homemade dressing in proper amount.

If iceberg or Simpson lettuce is all you're accustomed to using for greens, break away and try others. They'll add new flavor and texture. The most interesting salads combine several greens. For instance:

Belgian endive	Escarole
Boston lettuce	Romaine
Celery cabbage	Young spinach
Chicory (curly endive)	Watercress

All greens enjoy the same treatment. Remove cores or ends and discard any damaged leaves. Place in a large amount of cold water to dislodge any soil. Remove from water and shake until nearly dry. Pat dry on paper towel.

To store greens, wrap them in paper towel and place in crisper of refrigerator.

Some of the vegetables you add to salad taste good if they are marinated for an hour or so in the dressing. Try any of the following:

Snipped fresh dill

Thin pennies of raw turnip

Thin slices of fresh mushroom

Thin sliced cauliflowerets

Other vegetables taste their best when they are combined with dressing just before serving:

Sliced celery	Sliced ripe or stuffed olives
Sliced radishes	Grated raw carrot
Sliced pared cucumbers	Thin tomato wedges
Diced green pepper	Thin sliced fennel (finocchio)

A tossed green salad may be assembled without the dressing, and chilled. At serving time each guest may add his own dressing. But better yet, select a dressing the whole family likes and toss it thoroughly with the vegetables so that every piece is coated.

Most people will eat about 1 cup of mixed green salad.

CHINESE SLAW

1 teaspoon Morton Lite Salt
mixture
¼ teaspoon pepper
½ teaspoon dry mustard
2 tablespoons sugar
1 tablespoon grated onion

3 tablespoons vegetable oil
⅓ cup vinegar
5 cups (1¼ lbs.) diagonally
cut Chinese celery cabbage

* * *

Watercress (optional)

In a salad bowl, mix all ingredients except cabbage. Add cabbage and toss to mix well. Cover and chill thoroughly. Serve garnished with watercress if desired. Makes 4 servings.

Per Serving

Calories	130	Sodium	297 mg.
Carbohydrate	9 Gm.	Potassium	684 mg.
Protein	trace	Cholesterol	0
Fat	11 Gm.		

GRAPEFRUIT AND MUSHROOM SALAD

½ cup grapefruit juice
¾ cup vegetable oil
½ teaspoon sugar
¼ teaspoon Morton Lite Salt
mixture
⅛ teaspoon Tabasco
2 tablespoons chopped green
onions

½ cup sliced fresh mushrooms
2 grapefruit, sectioned and
chilled

* * *

Lettuce leaves
¼ cup sliced radishes

In medium bowl, beat together grapefruit juice, oil, sugar, salt and Tabasco. Stir in green onions and mushrooms. Cover and refrigerate for several hours. Divide and arrange grapefruit sections onto 4 plates lined with lettuce leaves. Pour grapefruit dressing over sections. Garnish with radish slices. Makes 4 servings.

Per Serving

Calories	163	Sodium	79 mg.
Carbohydrate	17 Gm.	Potassium	380 mg.
Protein	2 Gm.	Cholesterol	0
Fat	11 Gm.		

ITALIAN CARROT AND ZUCCHINI SALAD

2 large carrots, diagonally sliced	¼ cup vinegar
1 cup water	¼ teaspoon pepper
1 teaspoon Morton Lite Salt mixture	¼ teaspoon tarragon
	¼ teaspoon basil
1 medium zucchini, sliced, or 2 cups	⅛ to ¼ teaspoon oregano
½ cup vegetable oil	Lettuce leaves

* * *

Cook carrots for 3 minutes in 1 cup of boiling water to which you have added ¼ teaspoon of salt. Add zucchini; cook 2 minutes, or until crisp-tender. Drain. Combine oil, vinegar, remaining ¾ teaspoon of salt and seasonings. Pour over hot vegetables. Cover and chill for several hours. Drain, reserving dressing. Serve vegetables on crisp lettuce leaves and pass the reserved dressing. Makes 4 servings.

Per Serving

Calories	266	Sodium	277 mg.
Carbohydrate	3 Gm.	Potassium	591 mg.
Protein	trace	Cholesterol	0
Fat	28 Gm.		

INVENT-YOUR-OWN JELLIED VEGETABLE SALAD

1 envelope unflavored gelatin	1 cup vegetable juice, bouillon or homemade beef or chicken broth
½ cup cold water	
¼ cup sugar	
½ teaspoon Morton Lite Salt mixture	1½ cups finely shredded or chopped raw or cooked vegetables or diced cooked meat
2 to 4 tablespoons vinegar	
1 tablespoon lemon juice	

Sprinkle gelatin over cold water in a small saucepan to soften. Place over low heat; stir constantly until gelatin dissolves. Remove from heat. Add sugar, salt, vinegar, lemon juice and other liquid and stir until sugar dissolves. Pour into a bowl. Chill. When somewhat thickened and very syrupy, fold in vegetables and/or meat, 1½ cups in all. Pour into a 3-cup mold or bowl; chill until firm. Makes 4 servings.

GOOD ADDITIONS

Raw: Finely shredded red or green cabbage, spinach or carrot; chopped celery, green pepper, seeded cucumber or cauliflower; sliced green onions or radishes.

Cooked: Cut green beans, corn, asparagus, lima beans, sliced carrots, green peas, kidney beans, chick peas.

Meats and Seafoods: Diced cooked chicken, ham, tongue, pork or beef; flaked tuna.

Note: Do not add fresh pineapple or its juice to gelatin.

Per Serving (made with cocktail vegetable juice and mixture of carrots, corn and peas)

Calories	142	Sodium	318 mg.
Carbohydrate	25 Gm.	Potassium	175 mg.
Protein	12 Gm.	Cholesterol	0
Fat	trace		

TOMATO ASPIC

1 envelope unflavored gelatin
2 cups tomato juice
1 tablespoon lemon juice
½ teaspoon Morton Lite Salt mixture
1 teaspoon basil
2 teaspoons instant minced onions

¼ teaspoon instant minced garlic
⅛ teaspoon whole black pepper

* * *

Lettuce leaves

Sprinkle gelatin over ½ cup of the tomato juice to soften; set aside. In a small saucepan, combine 1½ cups of tomato juice with remaining ingredients. Bring to boil; reduce heat and simmer, uncovered, for 10 minutes. Strain into softened gelatin; stir until gelatin is dissolved. Pour into a 2-cup mold and chill for 3 hours, or until firm. Unmold and surround with crisp greens. Makes 4 servings.

Per Serving

Calories	47	Sodium	275 mg.
Carbohydrate	3 Gm.	Potassium	350 mg.
Protein	9 Gm.	Cholesterol	0
Fat	trace		

JELLIED GAZPACHO

1 envelope unflavored gelatin
½ cup water
1 cup homemade chicken broth
⅓ cup vinegar
1 teaspoon Morton Lite Salt mixture
1 teaspoon paprika
½ teaspoon basil
¼ teaspoon ground cloves

⅛ teaspoon Tabasco
1 clove garlic, minced
2 tablespoons minced onion
¼ cup minced celery
½ cup minced green pepper
1½ cups minced fresh tomato

* * *

Dairy sour cream, optional

Sprinkle gelatin on water in saucepan to soften. Place over low heat and stir until gelatin is dissolved. Remove from heat and add broth, vinegar, salt and seasonings. Mix well. Chill in refrigerator or bowl of ice water until it is the consistency of unbeaten egg white. Fold in minced vegetables. Cover and chill for at least 1 hour. Turn into soup bowls and garnish with sour cream. Makes 8 servings.

Per Serving

Calories	30	Sodium	156 mg.
Carbohydrate	3 Gm.	Potassium	156 mg.
Protein	5 Gm.	Cholesterol	1 mg.
Fat	trace		

PERFECTION SALAD

1 envelope unflavored gelatin
¼ cup sugar
½ teaspoon Morton Lite Salt mixture
1¼ cups water
¼ cup vinegar
1 tablespoon lemon juice
½ cup finely shredded cabbage

1 cup chopped celery
1 pimiento, cut in small pieces or 2 tablespoons chopped sweet red or green pepper

* * *

Crisp greens
Mayonnaise-type dressing

Mix gelatin, sugar and salt well in small saucepan. Add ½ cup of the water. Place over low heat, stirring constantly until gelatin is dissolved. Remove from heat, stir in remaining ¾ cup of water, vinegar and lemon juice. Chill until thick and syrupy. Fold in vegetables. Turn into a 2-cup mold or individual molds and chill until firm. Unmold: garnish with greens. Serve with mayonnaise-type dressing. Makes 4 servings.

Per Serving

Calories	94	Sodium	183 mg.
Carbohydrate	16 Gm.	Potassium	225 mg.
Protein	9 Gm.	Cholesterol	0
Fat	trace		

MACARONI SALAD, ITALIAN STYLE

8 ozs. elbow macaroni
3 quarts water
2 tablespoons Morton Lite Salt mixture
1 small onion, minced
¼ cup chopped parsley
1 green pepper, minced

1 pimiento, minced
¼ teaspoon pepper
½ teaspoon dry mustard
2 tablespoons vinegar or lemon juice
⅓ cup vegetable oil

Add macaroni gradually to 3 quarts of rapidly boiling water to which you have added 4 teaspoons of salt. Cook for 8 to 10 minutes, or until barely tender. Drain in colander and rinse with cold water. Add onion, parsley, green pepper and pimiento. Mix 2 teaspoons of salt with remaining ingredients; toss gently with macaroni mixture to blend well. Chill. Makes 6 servings.

Per Serving

Calories	174	Sodium	1109 mg.
Carbohydrate	10 Gm.	Potassium	833 mg.
Protein	2 Gm.	Cholesterol	0
Fat	14 Gm.		

OLD-FASHIONED MACARONI SALAD

8 ozs. elbow macaroni
3 quarts water
5 teaspoons Morton Lite Salt mixture
½ cup mayonnaise
1 tablespoon lemon juice
1 teaspoon sugar
¼ teaspoon celery seed

1 tomato, diced
1 cup diced celery
3 tablespoons chopped pimiento
2 tablespoons chopped green pepper

* * *

Salad greens

Add macaroni gradually to 3 quarts of rapidly boiling water to which you have added 4 teaspoons salt. Cook for 8 to 10 minutes, or until barely tender. Drain, rinse with cold water, drain again. Mix mayonnaise with lemon juice, 1 teaspoon of salt and 1 teaspoon sugar. Combine with macaroni, celery seed, tomato, celery, pimiento and green pepper. Chill thoroughly. To serve, garnish with salad greens. Makes 8 servings.

Per Serving

Calories	216	Sodium	324 mg.
Carbohydrate	10 Gm.	Potassium	316 mg.
Protein	2 Gm.	Cholesterol	20 mg.
Fat	18 Gm.		

POTATO SALAD FOR A CROWD

5 lbs. potatoes
2 tablespoons Morton Lite Salt mixture
2 eggs
¼ cup lemon juice
¼ cup vinegar
¼ teaspoon pepper
⅔ cup minced sweet onion
⅔ cup minced green pepper

½ cup minced parsley
2 cups diced celery
½ cup grated carrot
2 cups whipped salad dressing or mayonnaise
⅓ cup prepared mustard
1 tablespoon sugar
Paprika

Scrub potatoes well and remove eyes. Leave small potatoes whole, halve larger ones. Put in large saucepan with water to cover and 1 tablespoon of the salt. Rest unshelled raw eggs on potatoes. Cover and boil gently for 10 minutes. With slotted spoon, remove eggs and place in cold water. Cook potatoes for 5 to 10 minutes more. Test frequently—they should be barely tender. Drain. Meantime, in a large mixing bowl, measure out lemon juice, vinegar, pepper, the remaining tablespoon of salt and sweet onion. Mix and allow to coat sides of bowl. Peel and slice potatoes while still hot. Place in bowl, tossing mixture from time to time. Let cool about 15 minutes. Add green pepper, parsley, celery and carrot; toss gently. Chop eggs and mix with mayonnaise, mustard and sugar. Toss with potato mixture. Place in serving bowl, cover and chill at least 2 hours. Just before serving, garnish with paprika. Makes 12 to 15 servings.

Per Serving

Calories	409	Sodium	508 mg.
Carbohydrate	37 Gm.	Potassium	1033 mg.
Protein	6 Gm.	Cholesterol	72 mg.
Fat	26 Gm.		

FRUIT SALADS

Fruit salads perk up many menus. They add sweetness and sometimes tartness, and always lend a touch of color. Some hostesses do not put their fruit salad on lettuce, but leave it in a bowl and serve it with a pierced spoon into small dishes. Some guests enjoy it with the meal; for others it suffices as dessert.

Dressings are not strictly necessary for fruit salads, but they add piquancy and zest and help marry the flavor of the salad to the meat you are serving. Many sweet fruit dressings are offered here, but classic French dressing and mayonnaise are also good toppers.

The green base for most fruit salads may be Simpson or iceberg lettuce, as leaves or shredded, or cups of soft Boston lettuce. Watercress is also good, especially in combination with orange or grapefruit sections.

It's nice to use fresh fruits when they are in season,

alone or in combination. Canned fruits, though higher in calories, are flavorful and colorful.

Mix-match salads by selecting from the following list of fruits and toppings:

Apples,* preferably unpeeled, chopped, or in crescents
Apricots, fresh halved or diced or stewed halves
Avocados,* diced or in crescents or rings
Bananas,* sliced or cut in half
Berries of all kinds
Cantaloupes in chunks, crescents or balls
Cherries, pitted
Grapefruit, sections or half sections
Grapes, Thompson seedless or pitted red or purple
Honeydew, in crescents or balls
Papaya in chunks or crescents
Nectarines,* halved or sliced
Oranges, sliced, sectioned or diced
Peaches,* halved and pitted, crescents or diced
Pears,* halved and pitted, crescents or diced
Pineapple rings, chunks or tidbits

Plums, peeled and halved or diced
Prunes, whole pitted or halved
Tangerines (Mandarin oranges), sections

Toppers: Cottage cheese, cream cheese, chopped walnuts or slivered pecans, Brazil nuts or almonds, whole almonds or peanuts, maraschino cherries, lime or lemon slices or wedges, paprika.

*These fruits are likely to darken on standing. To prevent this, dip fruit in lemon, orange or pineapple juice.

PINK GRAPEFRUIT SALAD

2 grapefruit, peeled and sectioned
¼ cup sliced water chestnuts
½ teaspoon Morton Lite Salt mixture

⅓ cup grenadine syrup
Lettuce leaves

* * *

Avocado Dressing (page 144)

Arrange the well-trimmed grapefruit sections over the bottom of a shallow casserole or deep platter. Spread water chestnut slices over top. Sprinkle with salt. Pour grenadine syrup over all. Refrigerate, covered, for 4 hours. Place lettuce on each of 4 salad plates. Portion fruit onto plates. Garnish with Avocado Dressing and pass the remainder of the dressing at the table. Makes 4 servings.

Per Serving (without dressing)

Calories	42	Sodium	144 mg.
Carbohydrate	10 Gm.	Potassium	300 mg.
Protein	1 Gm.	Cholesterol	0
Fat	trace		

INVENT-YOUR-OWN JELLIED FRUIT SALAD

1 envelope unflavored gelatin
½ cup cold water
¼ cup sugar
½ teaspoon Morton Lite Salt mixture
2 tablespoons vinegar

1 tablespoon lemon juice
1 cup fresh, frozen or canned fruit juice*
1½ cups fresh, frozen or canned fruits*

Sprinkle gelatin over cold water in a small saucepan to soften. Place over low heat; stir constantly until gelatin dissolves (no granules visible), about 3 minutes. Remove from heat. Add sugar, salt, vinegar, lemon juice and fruit juice, and stir until sugar dissolves. Pour into a bowl. Chill. When somewhat thickened and very syrupy, fold in fruit: chill until firm. Makes 4 servings.

For fruit juice: Besides fresh, frozen and canned juices, you may use fruit punches, nectars and fruit ades.
For fruits: Fresh, frozen or canned peaches, plums, pears, apricots, berries of all varieties, melons, bananas, grapes, cherries, canned pineapple and fruit cocktail.

Per Serving (made with orange juice and fruit cocktail)

Calories	169	Sodium	154 mg.
Carbohydrate	34 Gm.	Potassium	200 mg.
Protein	9 Gm.	Cholesterol	0
Fat	trace		

*Fresh pineapple contains an enzyme which resists jelling, so do not use it, or fresh pineapple juice, unless you boil it for 2 minutes before adding to dissolved gelatin.

PINEAPPLE RELISH MOLD

2 envelopes unflavored gelatin
½ cup cold water
1 can (1 lb. 4½ oz.) crushed
  pineapple in syrup
2 tablespoons sugar
½ teaspoon Morton Lite Salt
  mixture

¼ cup vinegar
3 tablespoons lemon juice
1 cup chopped celery
½ cup chopped green pepper
2 pimientos, minced

* * *

Crisp greens

Sprinkle gelatin over cold water in medium saucepan. Drain syrup from pineapple into 2-cup measure; add enough water to the syrup to make 2 cups and then add ½ cup of this mixture to gelatin in saucepan. Place saucepan over low heat; stir constantly until gelatin dissolves (about 5 minutes). Remove from heat; stir in sugar, salt, remaining syrup mixture, vinegar and lemon juice. Chill, stirring occasionally, until mixture mounds slightly when dropped from spoon. Fold in drained crushed pineapple, celery, green pepper and pimientos. Turn into 4-cup mold. Chill until firm. Unmold onto serving platter and garnish with greens. Makes 6 servings.

Per Serving

Calories	102	Sodium	132 mg.
Carbohydrate	15 Gm.	Potassium	300 mg.
Protein	12 Gm.	Cholesterol	0
Fat	trace		

JELLIED WALDORF SALAD

1 envelope unflavored gelatin
1½ cups cold water
⅓ cup sugar
¼ teaspoon Morton Lite Salt
  mixture
¼ cup lemon juice

2 cups diced unpared tart apple
½ cup chopped celery
¼ cup chopped pecans

* * *

Salad greens

Sprinkle gelatin over ½ cup of the cold water in saucepan to soften. Place over low heat; stir constantly until gelatin dissolves (about 5 minutes). Remove from heat; stir in sugar, salt, remaining 1 cup of water and lemon juice. Chill, stirring occasionally, until it is the consistency of unbeaten egg white. Fold in apple, celery and pecans. Turn into a 4-cup mold. Chill until firm. Unmold and garnish with salad greens. Makes 6 servings.

Per Serving

Calories	145	Sodium	65 mg.
Carbohydrate	25 Gm.	Potassium	116 mg.
Protein	7 Gm.	Cholesterol	0
Fat	3 Gm.		

BASIC FRENCH DRESSING

1 cup vegetable oil
⅓ to ½ cup vinegar (substitute some lemon juice if desired)
1 to 3 tablespoons sugar

1½ teaspoons Morton Lite Salt mixture
½ teaspoon paprika
½ teaspoon dry mustard
1 clove garlic, halved

Measure all ingredients into bottle or jar. Cover tightly and shake well. Chill several hours, then remove garlic. Shake well before serving. Makes 1⅓ to 1½ cups.

Per Recipe

Calories	2174	Sodium	1685 mg.
Carbohydrate	43 Gm.	Potassium	2200 mg.
Protein	trace	Cholesterol	0
Fat	224 Gm.		

TRUE ITALIAN DRESSING

⅔ cup vegetable oil
3 tablespoons white vinegar
1 tablespoon water
2 teaspoons Morton Lite Salt mixture

1 teaspoon sugar
1½ teaspoons lemon juice
¼ teaspoon garlic powder
Dash red pepper
Dash crushed oregano

Measure all ingredients into bottle or jar. Cover tightly and shake well. Chill at least 1 hour. Shake well before serving. Makes about 1 cup.

Per Recipe

Calories	787	Sodium	2202 mg.
Carbohydrate	9 Gm.	Potassium	3000 mg.
Protein	0	Cholesterol	0
Fat	84 Gm.		

TOMATO SALAD DRESSING

¾ cup chilled tomato juice
2 tablespoons lemon juice
2 tablespoons instant minced onion
1 tablespoon basil

½ teaspoon Morton Lite Salt mixture
¼ teaspoon garlic powder
⅛ teaspoon ground cumin seed
⅛ teaspoon ground red pepper

In a small jar, combine all ingredients and blend well. Makes 1 cup.

Per Recipe

Calories	392	Sodium	1005 mg.
Carbohydrate	92 Gm.	Potassium	1533 mg.
Protein	10 Gm.	Cholesterol	0
Fat	1 Gm.		

MORTON LITE SALT MAYONNAISE

1 cup vegetable oil
1 egg
2 tablespoons wine vinegar
1 teaspoon sugar

1 teaspoon dry mustard
¾ teaspoon Morton Lite Salt mixture
Dash cayenne pepper

In an electric blender jar, measure ¼ cup of the oil, plus all remaining ingredients. Cover and blend on high speed for 2 seconds, or until thoroughly mixed. Remove cover and turn speed to low. *Very slowly,* in thinnest possible stream, add additional oil while blender agitates. If a pool of oil forms in the center of the blending mixture, stop blender and agitate contents a little with a rubber spatula. Continue blending and adding the remaining oil until well mixed. Store covered in refrigerator. Makes one generous cup.

Per Recipe

Calories	2128	Sodium	956 mg.
Carbohydrate	6 Gm.	Potassium	1088 mg.
Protein	7 Gm.	Cholesterol	272 mg.
Fat	231 Gm.		

COOKED SALAD DRESSING

2 teaspoons cornstarch	1 teaspoon Morton Lite Salt
1 teaspoon dry mustard	mixture
¼ teaspoon paprika	¼ cup unsalted polyunsatu-
⅛ teaspoon white pepper	rated margarine
1 cup milk	2 tablespoons vinegar

In saucepan, combine cornstarch, mustard, paprika and pepper. Slowly stir in milk. Bring to a boil, stirring constantly; boil 2 minutes. Add salt and margarine. Cook 2 minutes longer. Remove from heat. With rotary beater, beat in vinegar. Cool. Before serving, beat until creamy. Makes about 1¼ cups.

Per Recipe

Calories	627	Sodium	1228 mg.
Carbohydrate	21 Gm.	Potassium	1816 mg.
Protein	9 Gm.	Cholesterol	26 mg.
Fat	58 Gm.		

SWEET MAYONNAISE DRESSING

⅔ cup sugar
2 teaspoons dry mustard
3 tablespoons cornstarch
1 teaspoon Morton Lite Salt
mixture

2 eggs
½ cup vinegar
½ cup water
1 pint mayonnaise

In a saucepan, combine sugar, mustard, cornstarch and salt. Beat in eggs, one at a time. Mix vinegar and water and beat in gradually. Cook over moderate heat, beating from time to time, until mixture begins to boil, loses its foam and becomes compact and shiny. Cool for 15 minutes. Fold in mayonnaise. Keep refrigerated. Makes about 3 cups.

Per Recipe

Calories	3582	Sodium	4036 mg.
Carbohydrate	178 Gm.	Potassium	1680 mg.
Protein	15 Gm.	Cholesterol	864 mg.
Fat	301 Gm.		

EASY LEMON DRESSING

1 cup vegetable oil

4 teaspoons sugar
½ cup lemon juice

Combine all ingredients. Keep refrigerated.

Per Recipe

Calories	2110	Sodium	1 mg.
Carbohydrate	26 Gm.	Potassium	1 mg.
Protein	1 Gm.	Cholesterol	0
Fat	224 Gm.		

CITRUS HONEY DRESSING

½ cup vegetable oil
2 tablespoons grapefruit juice
2 tablespoons orange juice
2 tablespoons lemon juice
¼ cup honey

2 teaspoons Morton Lite Salt mixture
½ teaspoon paprika
Dash cayenne

Combine all ingredients in a small jar and shake until thoroughly blended. Makes about 1 cup.

Per Recipe

Calories	1327	Sodium	2208 mg.
Carbohydrate	81 Gm.	Potassium	3150 mg.
Protein	1 Gm.	Cholesterol	0
Fat	112 Gm.		

ORANGE POPPYSEED DRESSING

⅔ cup vegetable oil
¼ cup red wine vinegar
½ teaspoon Morton Lite Salt mixture

1 tablespoon poppyseed
2 teaspoons grated orange peel

Combine all ingredients in jar. Seal and shake vigorously. Chill 2 hours to develop flavor. Makes 1 cup.

Per Recipe

Calories	1267	Sodium	551 mg.
Carbohydrate	3 Gm.	Potassium	760 mg.
Protein	0	Cholesterol	0
Fat	140 Gm.		

PINK POPPYSEED DRESSING

½ cup sugar
1 teaspoon Morton Lite Salt
  mixture
1 teaspoon dry mustard
½ teaspoon grated lemon peel
2 teaspoons minced onion

⅓ cup lemon juice
¾ cup vegetable oil
Few drops red food coloring, if
  desired
1 tablespoon poppyseeds

Measure all ingredients except food color and poppyseeds into jar of electric blender. Cover and blend until well mixed. If desired, add food color, drop by drop, to tint a delicate pink. Stir in poppyseeds. Keep refrigerated. Makes 1½ cups.

Per Recipe

Calories	936	Sodium	1207 mg.
Carbohydrate	211 Gm.	Potassium	1600 mg.
Protein	13 Gm.	Cholesterol	0
Fat	14 Gm.		

AVOCADO DRESSING

1 medium avocado, pitted and
  peeled
¼ cup mayonnaise
4 to 5 teaspoons lemon juice

½ teaspoon Morton Lite Salt
  mixture
2 to 4 drops Tabasco

In small bowl of electric mixer, combine all ingredients. Blend at low speed, then beat at medium speed for 2 to 3 minutes, or until fluffy. (Dressing will be slightly lumpy.) Or measure into jar of electric blender and blend until smooth. Enough for 4 servings.

Per Recipe

Calories	513	Sodium	888 mg.
Carbohydrate	8 Gm.	Potassium	1120 mg.
Protein	2 Gm.	Cholesterol	40 mg.
Fat	52 Gm.		

CHAPTER 7

BREADS, PLAIN AND SWEET

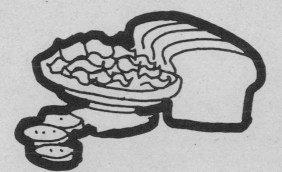

CHAPTER 7

BREADS, PLAIN AND SWEET

Homemade bread is so much fun to make and so wholesome in flavor, texture and appearance that you should make it often. Plus, when you make your own bread, you can be sure of exactly what ingredients are included. And you'll have had the personal bonus of an afternoon spent with the fragrance of yeast, that perfume which makes bakeries such attractive places.

The breads which follow use modern mixing techniques so they'll take less time and effort than Grandma's favorite "receipts."

Toward the end of the chapter you'll find sweet yeast breads. These recipes are very useful since they contain no baking powder or baking soda and are good, too!

Some quick breads are also included: puffy popovers, biscuits low in saturated fat and appetizing Sesame Twists.

You'll enjoy making breads from scratch, and your baking is sure to win enthusiastic compliments from family and friends.

GOOD WHITE BREAD

About 7 cups flour
3 tablespoons sugar
2 teaspoons Morton Lite Salt mixture
1 package active dry yeast

1½ cups water
½ cup milk
3 tablespoons unsalted polyunsaturated margarine

In large bowl of electric mixer, thoroughly mix 2 cups of the flour with the sugar, salt and undissolved yeast. Combine water, milk and margarine in a saucepan. Heat over low heat until liquids are warm to the touch (120 to 130°). (Margarine need not melt.) Gradually add liquids to dry ingredients and beat 2 minutes at medium speed of electric mixer, scraping bowl occasionally. Add enough more flour (about ¾ cup) to make a thick batter and beat at high speed for 2 minutes, scraping the bowl occasionally. Stir in enough of remaining flour to make a soft dough. Turn out onto a lightly floured board and knead until smooth and elastic (about 8 to 10 minutes). (To knead, push dough with palms of hands against cupped fingers; twist one-quarter turn; repeat.) Place in a greased bowl, turning so top is also oiled. Cover; let rise in a warm place (80 to 85°), free from draft, until doubled in bulk (1 hour).

Punch dough down; turn out onto lightly floured board. Cover and let rest for 15 minutes. Divide dough in half and mold into loaves. Place in 2 greased loaf pans, 8½" × 4½" × 2½". Cover; let rise in warm place, free from draft until doubled in bulk (1 hour). Bake at 400° for 25 to 30 minutes, or until done. (Test by tipping loaf out of pan and tapping bottom; there should be a hollow sound.) Remove from pans and cool on wire racks before slicing. Makes 2 loaves.

Per Slice

Calories	107	Sodium	73 mg.
Carbohydrate	21 Gm.	Potassium	103 mg.
Protein	4 Gm.	Cholesterol	trace
Fat	trace		

ONION BREAD ROUNDS

1 cup warm—not hot—water	2½ to 3 cups unsifted flour
1 package active dry yeast	¼ cup unsalted polyunsaturated
2 teaspoons sugar	margarine, melted
1½ teaspoons Morton Lite	¾ cup chopped onion
Salt mixture	

Measure warm water into a warmed mixing bowl. Sprinkle in yeast; stir until dissolved. Add sugar, 1 teaspoon of the salt and 2 cups of the flour. Beat vigorously until well blended. Add enough of remaining flour to make a stiff dough. Turn out onto lightly floured board and knead until smooth and elastic (about 5 minutes). Place in a greased bowl, turning to grease top. Cover; let rise in warm place, free from draft, until doubled in bulk (about 1 hour).

Punch dough down; divide in half. Cover and let rest for 5 minutes. Pat dough into 2 greased 9-inch-round cake pans. Brush tops with melted margarine and sprinkle with onion. Press onions into dough with fingertips until entire surface looks dented. Let rise, covered, in a warm place free from draft until doubled in bulk (about 45 minutes). Sprinkle tops with remaining ½ teaspoon of salt. Bake at 450° for 20 to 25 minutes, or until firm and hollow-sounding when tapped on top. Cool in pans on wire racks. Best when served warm. Makes two 9 inch rounds.

Per Serving (⅛ round)

Calories	123	Sodium	108 mg.
Carbohydrate	19 Gm.	Potassium	206 mg.
Protein	5 Gm.	Cholesterol	0
Fat	3 Gm.		

ONE-BOWL LOW-FAT BREAD

7 to 8 cups unsifted flour
2 tablespoons sugar
2 teaspoons Morton Lite Salt mixture

1 package active dry yeast
1 tablespoon unsalted polyunsaturated margarine, softened
2½ cups very hot water

In the large bowl of the electric mixer, thoroughly mix 2½ cups of the flour, sugar, salt and undissolved yeast. Add soft margarine. Gradually add very hot tap water to dry ingredients and beat 2 minutes at medium speed of electric mixer, scraping bowl occasionally. Add ¾ cup of flour, or enough to make a thick batter; beat at high speed for 2 minutes, scraping bowl occasionally. Stir in enough of remaining flour to make a soft dough. Turn out onto lightly floured board; knead until smooth and elastic (about 8 to 10 minutes). Place in a greased bowl, turning to grease top. Cover; let rise in a warm place, free from draft, until doubled in bulk (about 1 hour).

Punch dough down; turn out onto lightly floured board. Divide dough in half; shape each half into a loaf. Place in 2 greased loaf pans 9″ × 5″ × 3″. Cover; let rise in warm place, free from draft, until doubled in bulk (about 1 hour).

Bake at 400° for about 30 to 35 minutes, or until loaf sounds hollow when tipped out of pan and tapped on bottom. Remove from pans and cool on wire racks before slicing. Makes 2 loaves.

Per Slice

Calories	112	Sodium	71 mg.
Carbohydrate	23 Gm.	Potassium	96 mg.
Protein	4 Gm.	Cholesterol	0
Fat	trace		

ALL WHOLE WHEAT BREAD

8¾ to 9¾ cups unsifted whole wheat flour
4 teaspoons Morton Lite Salt mixture
2 packages active dry yeast
1½ cups milk
1½ cups water
½ cup honey
6 tablespoons unsalted polyunsaturated margarine

In large bowl of electric mixer, thoroughly mix 3 cups of the flour with salt and undissolved yeast. Combine milk, water, honey and margarine in a saucepan. Heat over low heat until liquids are warm (120 to 130°). (Margarine does not need to melt.) Gradually add to dry ingredients and beat 2 minutes at medium speed, scraping bowl occasionally. Add 1 cup of the flour, or enough to make a thick batter. Beat at high speed for 2 minutes, scraping bowl occasionally. Stir in enough of remaining flour to make a soft dough. Turn out onto lightly floured board; cover dough with bowl and let rest for 10 minutes. Then remove bowl and knead until smooth and elastic (about 8 to 10 minutes). Place in greased bowl, turning to grease top. Cover; let rise in warm place, free from draft, until doubled in bulk (about 1 hour).

Punch dough down; turn out onto lightly floured board. Divide in half. Shape each half into a loaf. Place in 2 greased 9″ × 5″ × 3″ loaf pans. Cover; let rise in warm place, free from draft, until doubled in bulk (about 1 hour).

Bake at 375° for 35 to 40 minutes, or until loaf sounds hollow when tipped out of pan and tapped on bottom. Remove from pans and cool on wire rack. Makes 2 loaves.

Per Slice

Calories	183	Sodium	148 mg.
Carbohydrate	33 Gm.	Potassium	184 mg.
Protein	8 Gm.	Cholesterol	1 mg.
Fat	4 Gm.		

POPPYSEED BATTER BREAD

1¼ cups warm—not hot—water*
1 package active dry yeast
2 tablespoons unsalted polyunsaturated margarine
2 tablespoons poppyseeds
2 tablespoons sugar

2 teaspoons Morton Lite Salt mixture
3 to 3½ cups unsifted flour
1 egg white
1 tablespoon cold water
Additional poppyseeds

Measure warm water into large warm bowl. Sprinkle in yeast; stir until dissolved. Add margarine, 2 tablespoons of poppyseeds, sugar and salt. Stir in 2 cups of flour. Beat until well blended (about 1 minute). Stir in enough of remaining flour to make a soft dough. Cover; let rise in warm place, free from draft, until doubled in bulk (about 35 minutes).

Stir down. Spread evenly in greased loaf pan, 9″ × 5″ × 3″. Cover; let rise in warm place, free from draft, until doubled in bulk (about 40 minutes).

Combine egg white and cold water; carefully brush onto top of loaf. Sprinkle with poppyseeds. Bake at 375° for about 45 minutes, or until loaf sounds hollow when tipped out of pan and tapped on bottom. Remove from pan and cool on wire rack. Makes 1 loaf.

Per Slice

Calories	125	Sodium	144 mg.
Carbohydrate	22 Gm.	Potassium	193 mg.
Protein	5 Gm.	Cholesterol	0
Fat	2 Gm.		

*110°

POPOVERS

½ cup milk
1 tablespoon melted unsalted polyunsaturated margarine
1 egg

½ cup flour
¼ teaspoon Morton Lite Salt mixture

In medium mixing bowl, combine ingredients in order given. Beat with rotary beater just until smooth. Fill well-greased 5-oz. custard cups half full of batter. Bake at 425° for 15 minutes, then reduce heat to 350° and bake 15 minutes longer. Remove from custard cups at once and make small slit in side of each popover to allow steam to escape. Serve hot. Makes 6.

Note: Popover or muffin pans may also be used, filling the greased pans half full. Yield will vary with size of pans.

Per Serving

Calories	78	Sodium	67 mg.
Carbohydrate	8 Gm.	Potassium	70 mg.
Protein	3 Gm.	Cholesterol	43 mg.
Fat	4 Gm.		

FLAKY BISCUITS

2 cups sifted flour
3 teaspoons baking powder
1 teaspoon Morton Lite Salt mixture

⅓ cup vegetable oil
⅔ cup milk

Sift flour, baking powder and salt together into a bowl. Blend in vegetable oil with fork or pastry blender. Add milk; mix until dough forms. Gently knead on a lightly floured board 15 to 20 times. Roll or pat out to half-inch thickness. Cut with floured biscuit cutter. Place onto ungreased cookie sheet. Bake at 450° for 12 to 15 minutes, or until lightly browned. Makes twelve 2-inch biscuits.

Per Serving

Calories	103	Sodium	95 mg.
Carbohydrate	14 Gm.	Potassium	83 mg.
Protein	2 Gm.	Cholesterol	trace
Fat	4 Gm.		

SESAME TWISTS

¼ cup sesame seeds
1 cup flour
¼ cup shortening
¾ teaspoon Morton Lite Salt
  mixture

2 to 4 tablespoons water
3 tablespoons unsalted polyunsaturated margarine, softened
½ teaspoon paprika
2 to 4 drops Tabasco

Place sesame seeds in small skillet over medium heat; stir constantly until toasted golden brown. Remove from skillet and let cool. In medium mixing bowl, combine flour, shortening and ½ teaspoon of the salt. With pastry blender, cut in shortening until crumbly. Add water, using the least amount possible, and stir with fork until dough forms a ball. Roll out onto floured surface to form a rectangle 10 by 14 inches.

Combine toasted sesame seeds with margarine, paprika, remaining ¼ teaspoon of salt and Tabasco to taste. With back of spoon, blend until well mixed. Spread this mixture down one lengthwise half of pastry. Fold plain side over top to form a rectangle 5 by 14 inches. Trim edges to make them even. Cut the folded pastry into half inch strips. Twist each pastry to make 4 turns. Place onto ungreased 15″ × 17″ baking sheet, ½ inch apart. To maintain twist, press each end down gently but firmly. Bake at 400° for 12 to 18 minutes, or until golden. Serve hot. Makes about 20.

Note: After cooling, twists may be frozen; use within 2 weeks.

Per Serving

Calories	66	Sodium	538 mg.
Carbohydrate	8 Gm.	Potassium	70 mg.
Protein	3 Gm.	Cholesterol	8 mg.
Fat	trace		

SWEET ROLL DOUGH

1 package active dry yeast
¼ cup warm—not hot—water*
¾ cup milk, scalded and
  cooled to lukewarm
¼ cup sugar

1 teaspoon Morton Lite Salt
  mixture
1 egg
¼ cup unsalted polyunsaturated margarine, softened
3½ to 3¾ cups flour

In large bowl, dissolve yeast in warm water. Add milk, sugar, salt, egg, margarine and half of the flour. Mix with spoon until smooth. Add enough remaining flour to handle easily; mix with hand or spoon. Turn onto lightly floured board; knead until smooth and elastic (about 5 minutes). Place in large greased mixing bowl; turn dough over so top side is greased. Cover; let rise in warm place (85°) until double, about 1½ hours. Punch down; let rise again until almost double (about ½ hour). Shape into Cinnamon Rolls or Swedish Tea Ring. Bake as directed.

Per 2 Cinnamon Rolls

Calories	306	Sodium	163 mg.
Carbohydrate	47 Gm.	Potassium	312 mg.
Protein	11 Gm.	Cholesterol	41 mg.
Fat	8 Gm.		

* 110°

CINNAMON ROLLS

Roll dough into an oblong 15″ × 9″. Spread with 2 tablespoons of softened margarine and sprinkle with a mixture of ½ cup of sugar and 2 teaspoons of cinnamon. Roll up tightly, beginning at wide side. Pinch edges of roll together. Cut into 1-inch slices. Place in greased pan, 13″ × 9″ × 2″, or 18 greased muffin cups. Cover; let rise until doubled (35 to 40 minutes). Bake at 375° 25 to 30 minutes. Frost with mixture of 1 cup of confectioners' sugar, 1 tablespoon of water, milk or cream, and ½ teaspoon of vanilla. Makes about 18 rolls.

SWEDISH TEA RING

Begin by following the recipe for Cinnamon Rolls, sprinkling dough with ½ cup of raisins in addition to sugar. Roll up dough as for above, but do not cut into slices. Instead, shape dough into a ring on a greased baking sheet, seam side down. Pinch ends together. With scissors, cut ⅔ of the way through the ring at 1-inch intervals. Turn each 1-inch section on its side. Let rise until doubled (35 to 40 minutes). Bake at 375° for 25 to 30 minutes. Frost while warm with confectioners' sugar mixture in Cinnamon Roll recipe. If desired, decorate with nuts and cherries. Makes 1 tea ring.

OLD-FASHIONED DOUGHNUTS
WITH A BONUS

1 cup warm—not hot—water*
2 packages active dry yeast
⅔ cup sugar
1 teaspoon Morton Lite Salt mixture
½ cup mashed potatoes at room temperature
6 tablespoons soft unsalted polyunsaturated margarine

1 egg, at room temperature
4 to 5 cups unsifted flour
¼ cup light brown sugar
2 tablespoons light corn syrup
18 pecan halves
Vegetable oil for frying

Measure water into large warm bowl. Sprinkle in yeast; stir until dissolved. Stir in sugar, salt, potatoes and ¼ cup of the margarine. Add the egg and 2 cups of the flour; beat until smooth. Stir in enough additional flour to make a soft dough. Turn out onto lightly floured board; knead until smooth and elastic (8 to 10 minutes). Place in a greased bowl, turning to grease top. Cover; let rise in a warm place, free from draft, until doubled in bulk (about 1 hour). While dough rises, in a saucepan mix brown sugar, corn syrup and remaining 2 tablespoons of margarine. Heat, stirring, until margarine melts. Divide evenly among six greased muffin pans, 2½-inch cup size. Arrange 3 pecan halves in bottom of each cup. Set aside.

* 110°

Punch dough down; turn onto lightly floured board. Roll dough out ½ inch thick. Cut with 2½-inch doughnut cutter. Place on greased baking sheets.

Arrange 5 doughnut "holes" in each muffin cup to form "bonus" Pecan Rolls. Reroll dough as needed to complete cutting. Cover; let rise in warm place, free from draft, until doubled (about 1 hour).

Heat oil to 375°. Add doughnuts, 2 or 3 at a time, and fry one minute on each side. Drain on paper toweling. If desired, shake in bag with confectioners' sugar or mixture of granulated sugar and cinnamon.

Meantime, bake Pecan Rolls at 350° for about 20 minutes, or until firm and browned. Immediately invert rolls onto platter to cool.

Makes 30 doughnuts and 6 Pecan Rolls.

Per Serving

Calories	149	Sodium	48 mg.
Carbohydrate	26 Gm.	Potassium	63 mg.
Protein	4 Gm.	Cholesterol	trace
Fat	4 Gm.		

OATMEAL BATTER BREAD

¾ cup boiling water
½ cup rolled oats
3 tablespoons unsalted polyunsaturated margarine
¼ cup light molasses
2 teaspoons Morton Lite Salt
mixture

1 package active dry yeast
¼ cup warm—not hot—
water*
1 egg
2¾ cups flour

In large bowl of electric mixer, stir together boiling water, oats, margarine, molasses and salt. Cool to lukewarm. Dissolve yeast in warm water. Add it, along with egg and half the flour, to the lukewarm oat mixture. Beat for 2 minutes at medium speed of electric mixer, or 300 vigorous strokes by hand. Scrape sides and bottom of bowl frequently. Add the remaining flour and mix with a spoon until flour is blended in. Spread batter evenly in greased loaf pan, 8½″ × 4½″ × 2¾″ or 9″ × 5″ × 3″. Batter will be sticky. With floured hand, smooth out top of loaf. Let rise in warm place (85°) until batter reaches top of 8½-inch pan or 1 inch from top of 9-inch pan (about 1½ hours). Bake at 375° for 50 to 55 minutes. To test loaf, tap top crust; it should have a hollow sound. Crust will be dark brown. Immediately remove from pan. If desired, brush top with additional melted margarine. Cool before slicing. Makes 1 loaf (16 slices).

Orange Oatmeal Bread: Add ¼ cup of finely grated orange peel with first addition of flour.

Per Slice

Calories	128	Sodium	149 mg.
Carbohydrate	22 Gm.	Potassium	194 mg.
Protein	5 Gm.	Cholesterol	17 mg.
Fat	2 Gm.		

*110°

STREUSEL COFFEE CAKE

1 cup warm—not hot—water*
2 packages active dry yeast
½ teaspoon Morton Lite
   Salt mixture
4 cups (about) unsifted flour

½ cup unsalted polyunsaturated margarine
½ cup sugar
2 eggs

     * * *

Streusel Topping

Measure warm water into warm mixing bowl. Sprinkle in yeast and stir until dissolved. Stir in salt and 1½ cups of the flour; beat until smooth. Cover; let rise in a warm place, free from draft, until doubled in bulk (about 30 minutes). Beat margarine until fluffy. Add sugar and beat until well mixed. Now add margarine mixture, eggs, and enough additional flour to make a soft dough into the rising "sponge." Turn out onto lightly floured board. Knead until smooth and elastic (about 5 minutes). Place in a greased bowl, turning to grease top. Cover; let rise in warm place, free from draft, until doubled in bulk (about 1 hour).

Divide dough into thirds. Press into 3 greased 8-inch cake pans. Cover; let rise until doubled in bulk (about 30 minutes). Sprinkle with Streusel Topping. Bake at 400° for about 20 minutes, or until firm and well browned. Makes three 8-inch cakes.

Streusel Topping: Beat ⅓ cup of unsalted polyunsaturated margarine until fluffy. Add ⅓ cup of sugar gradually, then stir in 1 cup of unsifted flour and 1 teaspoon of cinnamon. Mixture will be crumbly.

1/24th Recipe

Calories	149	Sodium	33 mg.
Carbohydrate	28 Gm.	Potassium	47 mg.
Protein	6 Gm.	Cholesterol	23 mg.
Fat	2 Gm.		

*110°

CHERRY GO-ROUND

3½ to 4½ cups unsifted flour
½ cup sugar
1 teaspoon Morton Lite Salt mixture
1 package active dry yeast
1 cup milk
¼ cup water
½ cup unsalted polyunsaturated margarine

1 egg at room temperature
Filling:
½ cup unsifted flour
½ cup chopped pecans
½ cup light brown sugar
1 can (1 lb.) pitted red sour cherries, well drained

* * *

Confectioners' Sugar Frosting

In large bowl of electric mixer, thoroughly mix 1¼ cups of the flour, sugar, salt and undissolved yeast. Combine milk, water and margarine in a saucepan. Heat over low heat until liquids are warm (120°). Margarine need not melt. Gradually add to dry ingredients and beat 2 minutes at medium speed, scraping bowl occasionally. Add egg and ¾ cup more flour, or enough flour to make a thick batter. Beat at high speed for 2 minutes, scraping bowl occasionally. Stir in enough of remaining flour to make a stiff batter. Cover bowl tightly with plastic wrap. Refrigerate for at least 2 hours, or up to 3 days.

When ready to shape dough, combine the ½ cup of flour for filling with pecans and brown sugar.

Turn dough out onto lightly floured board and divide in half. Roll half the dough to a 14″ × 7″ rectangle. Spread with ¾ cup of the cherries. Sprinkle with half the brown sugar mixture. Roll up from long side as for jelly roll. Seal edges. Place sealed edge down in a circle on a greased baking sheet. Pinch ends together firmly. Cut slits two-thirds through the ring at 1-inch intervals; turn each 1-inch section on its side. Repeat with remaining dough and filling. Cover; let rise in warm place, free from draft, until doubled in bulk (about 1 hour).

Bake at 375° for about 20 to 25 minutes, or until firm and browned. Remove from baking sheets and cool on wire racks. Frost while still warm with Confectioners' Sugar Frosting. Makes 2 coffee rings.

Confectioners' Sugar Frosting: To 2 cups of sifted confectioners' sugar, gradually add about 2 tablespoons of hot

water or milk until the frosting has a good spreading consistency. Stir in 1 teaspoon of vanilla or almond flavoring.

1/12 Recipe, Frosted

Calories	508	Sodium	116 mg.
Carbohydrate	88 Gm.	Potassium	171 mg.
Protein	10 Gm.	Cholesterol	25 mg.
Fat	14 Gm.		

CHAPTER 8

PASTAS AND SUCH

CHAPTER 8

PASTAS AND SUCH

Many of us enjoy a change from potatoes and bread. The pastas—macaroni, spaghetti and noodles—offer a bewildering assortment of shapes and tastes to tempt eye and appetite.

Rice also offers a pleasant alternative, as do dried beans and peas, which provide valuable protein as well as carbohydrate.

If you are wary of eating too much saturated fat, you will avoid sauces which contain much cheese and choose instead those which emphasize vegetable flavors. Some suggestions appear in the following pages.

FOR PERFECT PASTA

To cook 8 ounces (2 cups) of macaroni for 4 servings:

1. In a large saucepot, heat 3 quarts of water to a rapid boil.
2. Add 1 tablespoon of Morton Lite Salt mixture.
3. Gradually add 8 ounces (about 2 cups) of macaroni or spaghetti or 8 ounces (about 4 cups) of egg noodles. (Spaghetti needs special handling: Do a handful at a time, holding one end of the handful until the other end softens, then release. Or break into three sections.) Be sure water continues to boil.
4. Cook, uncovered, stirring occasionally and gently until tender. To test, taste. It should be tender yet firm. Very small pasta cooks in 2 minutes; average is 8 to 10 minutes; some larger shapes require 15 minutes. (Check package directions.)
5. As soon as macaroni is *al dente* (barely tender), turn it into a colander or large strainer. Mix with other ingredients in the recipe and serve at once. Rinsing is considered unnecessary except when the pasta is to be served cold. Then rinse with cold water and drain well.

Per Serving

Calories	203	Sodium	276 mg.
Carbohydrate	41 Gm.	Potassium	100 mg.
Protein	7 Gm.	Cholesterol	0
Fat	1 Gm.		

In general, 8 ounces yield 4 servings. More specific mathematics are:

Product	Dry Weight	Cooked
Elbow macaroni	8 oz. (2 cups)	4½ cups
Spaghetti	8 oz.	5 cups
Egg noodles	8 oz. (about 4 cups)	4 cups

QUICK MARINARA SAUCE

¼ cup vegetable oil
2 cloves garlic, halved
1 can (35 oz.) whole tomatoes, cut up, with liquid
1½ teaspoons Morton Lite
Salt mixture

⅛ teaspoon pepper
¼ cup chopped parsley
¾ teaspoon basil

Heat oil in medium saucepan. Add garlic and cook gently
without browning for about 5 minutes, long enough to
scent the oil. Remove garlic. Add tomatoes, salt, pepper,
parsley and basil. Cover and simmer 20 minutes.
Uncover; cook about 15 minutes longer. Serve over freshly cooked spaghetti. Makes 4 cups, enough for 6 servings.

Per Serving

Calories	116	Sodium	465 mg.
Carbohydrate	6 Gm.	Potassium	645 mg.
Protein	2 Gm.	Cholesterol	0
Fat	10 Gm.		

MUSHROOM SPAGHETTI SAUCE

¼ cup vegetable oil
1 cup chopped onion
1 clove garlic, minced
¾ lb. fresh mushrooms, sliced (about 5 cups)
1 can (1 lb.) whole tomatoes, cut up, with juice
1 can (8 oz.) tomato sauce

1 cup water
2 teaspoons Morton Lite Salt mixture
1 teaspoon sugar
1 teaspoon crushed oregano
1 bay leaf
¼ teaspoon pepper

Heat oil in a very large skillet or Dutch oven. Add onion, garlic and mushrooms. Cook, stirring occasionally, about 10 minutes, or until onion is tender. Add remaining ingredients and stir. Boil gently, uncovered, stirring occasionally, about 1 hour, or until thickened. Remove bay leaf. Serve with freshly cooked spaghetti. Makes 4 cups, about 6 servings.

Per Serving

Calories	181	Sodium	536 mg.
Carbohydrate	13 Gm.	Potassium	1050 mg.
Protein	3 Gm.	Cholesterol	0
Fat	14 Gm.		

ZUCCHINI SPAGHETTI

4 medium zucchini, washed and cut into ¼-inch slices
¼ cup water
1 tablespoon plus 1½ teaspoons Morton Lite Salt mixture
½ cup unsalted polyunsaturated margarine
¼ teaspoon pepper
3 quarts boiling water
8 oz. spaghetti

Place zucchini in saucepan with ¼ cup of water and ½ teaspoon of salt. Bring to boil, cover and reduce heat. Simmer until just tender. Drain, then chop zucchini. Return to saucepan; add margarine, 1 teaspoon of salt and pepper. Simmer about 2 minutes, or until warm through. Add 1 tablespoon of salt to 3 quarts of rapidly boiling water. Gradually add spaghetti so water continues to boil. Cook, uncovered, stirring occasionally, for 8 to 10 minutes, or until tender. When spaghetti is tender, drain in colander and immediately toss with zucchini. Makes 4 servings.

Per Serving

Calories	375	Sodium	417 mg.
Carbohydrate	33 Gm.	Potassium	1850 mg.
Protein	6 Gm.	Cholesterol	0
Fat	25 Gm.		

SPAGHETTI WITH EGGPLANT SAUCE

2 lbs. whole ripe tomatoes, peeled and diced
2 cloves garlic, minced
¼ cup vegetable oil
1 can (6 oz.) tomato paste
⅓ cup cold water
1 small onion, chopped
¼ teaspoon crushed red pepper
¼ teaspoon basil
¼ teaspoon oregano
1 large eggplant, peeled and cubed
¼ cup chopped parsley
12 oz. spaghetti
1½ tablespoons Morton Lite Salt mixture
4 to 5 quarts boiling water

In a Dutch oven or a large saucepan, sauté tomatoes and garlic in 1 tablespoon of the oil for 2 minutes. Stir in tomato paste, water, onion, pepper and herbs. Cover and simmer 2 hours, stirring occasionally, to prevent sticking. Sauté the eggplant in remaining oil until lightly brown and soft, stirring frequently. Add to tomato sauce along with parsley. Cook over low heat for 45 minutes. Near the end of the cooking time, gradually add spaghetti and salt to rapidly boiling water so that water continues to boil. Cook, uncovered, stirring occasionally, until tender (about 10 minutes). Drain in colander. Serve with eggplant sauce. Makes 6 servings.

Per Serving

Calories	367	Sodium	398 mg.
Carbohydrate	59 Gm.	Potassium	1450 mg.
Protein	11 Gm.	Cholesterol	0
Fat	11 Gm.		

SPAGHETTI AND MEATBALLS

1 lb. meat loaf mix (ground beef, pork and veal)
1 slice bread
¼ cup milk
3 small cloves garlic
2 teaspoons chopped parsley
1 tablespoon grated Parmesan cheese
1 egg
1¼ teaspoons Morton Lite Salt mixture
Dash pepper
1 tablespoon vegetable oil
1 can (35 oz.) Italian-style tomatoes, cut up
2 cans (6 oz. each) tomato paste
1 cup water
¼ cup sugar
1 tablespoon instant minced onion
1 tablespoon chopped parsley
1 teaspoon crushed oregano
1 lb. thin spaghetti

Additional grated Parmesan cheese (optional)

Put meat in large bowl. Dip bread in milk; crumble into meat. Add 1 clove of mashed garlic, parsley, grated Parmesan, egg, ¼ teaspoon of the salt and pepper. Mix well. Shape into 12 balls. In large heavy pan, brown meatballs in oil. Remove and set aside. Discard fat. Place tomatoes in pan in which meatballs were browned. Stir in tomato paste, water, sugar, 2 cloves of mashed garlic, onion, parsley, oregano and remaining teaspoon of salt. Bring to boil. Add meatballs. Simmer uncovered for 1 hour, stirring occasionally. Meanwhile, cook spaghetti for 8 to 11 minutes, or until desired tenderness; drain. Serve sauce and meatballs over spaghetti, topping with Parmesan if desired. Serves 4.

Per Serving

Calories	792	Sodium	1883 mg.
Carbohydrate	133 Gm.	Potassium	1931 mg.
Protein	35 Gm.	Cholesterol	146 mg.
Fat	14 Gm.		

POPPYSEED NOODLES

3 quarts rapidly boiling water
8 oz. wide egg noodles (about 4 cups)
1 tablespoon Morton Lite Salt mixture
½ cup unsalted polyunsaturated margarine
2 tablespoons poppyseeds (or sesame seeds)

Bring water to boil, then gradually add noodles and salt so water continues to boil. Cook, uncovered, stirring occasionally, until tender (about 10 minutes). Drain in colander. Meanwhile melt margarine. Add poppyseeds. Cook over low heat for 5 minutes, stirring occasionally. Add noodles and mix well. Makes 4 servings.

Per Serving

Calories	356	Sodium	280 mg.
Carbohydrate	26 Gm.	Potassium	1075 mg.
Protein	5 Gm.	Cholesterol	110 mg.
Fat	26 Gm.		

BEEF AND MACARONI

1 can (4 oz.) sliced mushrooms
¼ cup chopped onion
½ teaspoon crushed oregano
2 tablespoons vegetable oil
1 lb. lean ground beef
1 teaspoon Morton Lite Salt
mixture

¼ teaspoon pepper
¼ teaspoon garlic powder
2 cans (8 oz. each) tomato
sauce
8 oz. (2 cups) elbow macaroni
½ cup shredded sharp Cheddar
cheese (optional)

Drain the mushrooms, reserving the broth. In a large skillet or pot, sauté mushrooms, onion and oregano in oil until onion is crisp-tender. Add beef; scramble and brown
lightly. Stir in salt, pepper, garlic powder, tomato sauce
and reserved mushroom broth. Simmer uncovered for 10
minutes, stirring occasionally. Meanwhile, cook macaroni
for 9 to 12 minutes, to desired tenderness. Drain. Add to
skillet; mix with meat and sauce. If using cheese, sprinkle
it over surface; cover and heat a minute until cheese
melts. Makes 6 servings.

Per Serving

Calories	461	Sodium	421 mg.
Carbohydrate	39 Gm.	Potassium	1198 mg.
Protein	32 Gm.	Cholesterol	84 mg.
Fat	19 Gm.		

ORANGE ALMOND NOODLES

8 oz. egg noodles (about 4
cups)
¼ cup unsalted polyunsaturated margarine, melted
½ cup chopped blanched almonds
1 tablespoon poppyseeds
1 tablespoon grated orange
peel

1 tablespoon grated lemon peel
½ teaspoon Morton Lite Salt
mixture
⅛ teaspoon pepper
* * *
1 cup dairy sour cream (optional)

172

Cook noodles for 7 to 9 minutes, or to desired tenderness. Meantime, combine margarine, almonds, poppyseeds, orange and lemon peels, salt and pepper. Drain noodles and toss with seasonings. Turn onto a hot platter. If desired, top with spoonfuls of sour cream. Makes 6 servings.

Per Serving

Calories	219	Sodium	109 mg.
Carbohydrate	11 Gm.	Potassium	241 mg.
Protein	3 Gm.	Cholesterol	62 mg.
Fat	18 Gm.		

REALLY GOOD RICE

For about 4 servings of rice, follow these directions:
1. Measure into saucepan 1 cup of regular milled white rice, 2 cups of water and 1 teaspoon of Morton Lite Salt mixture. Place over high heat, and when water boils vigorously, stir several times and cover pan tightly.
2. Turn heat as low as possible and cook for 14 minutes.
3. Turn off heat, lift grains gently with a fork, and allow to steam. Water should be absorbed and grains separate, flaky and tender, with some firmness.

Per Serving

Calories	178	Sodium	278 mg.
Carbohydrate	39 Gm.	Potassium	493 mg.
Protein	3 Gm.	Cholesterol	0
Fat	trace		

For *brown rice,* increase liquid to 2½ cups; cook for 45 minutes. Cook *parboiled rice* 20 minutes. For *precooked rice,* follow directions on package.

   1 cup uncooked brown rice yields 4 cups cooked.
   1 cup uncooked regular white rice yields 3 cups cooked.
   1 cup uncooked parboiled rice yields 4 cups cooked.
   1 cup uncooked precooked rice yields a little more than 2 cups cooked.

CURRIED RICE

¼ cup unsalted polyunsaturated margarine
1 cup chopped onion
1 cup chopped green pepper
½ cup dried currants
2 cups uncooked regular rice (not precooked)

½ teaspoon curry powder
1 teaspoon Morton Lite Salt mixture
¼ teaspoon pepper
1 quart homemade chicken broth

Heat margarine in saucepan. Add onion, green pepper and currants, and cook over medium-low heat until onion is tender. Stir in rice and seasonings; cook until golden, not browned. Add broth and mix well. Bring to boil, cover and reduce heat. Simmer for 14 minutes. Remove from heat, toss lightly and serve at once. A nice base for creamed mixtures or a good side dish with chicken. Makes 8 servings.

Per Serving

Calories	264	Sodium	193 mg.
Carbohydrate	44 Gm.	Potassium	287 mg.
Protein	6 Gm.	Cholesterol	10 mg.
Fat	7 Gm.		

RICE WITH SAGE

⅓ cup unsalted polyunsaturated margarine
1 cup uncooked regular rice (not precooked)

1 teaspoon Morton Lite Salt mixture
2 cups water
¾ cup chopped onion
¼ teaspoon sage

Heat margarine in saucepan. Add rice and salt and cook, stirring constantly over low heat until rice is golden, not browned. Remove from heat. Gradually stir in water; add chopped onion and sage. Bring to boil. Cover; simmer for

12 to 15 minutes, or until all liquid is absorbed. Serve with chicken or pork. Makes 6 servings.

Per Serving

Calories	224	Sodium	189 mg.
Carbohydrate	28 Gm.	Potassium	274 mg.
Protein	3 Gm.	Cholesterol	0
Fat	11 Gm.		

GOLDEN RICE

¼ cup unsalted polyunsaturated margarine
½ cup chopped celery and leaves
1½ tablespoons instant minced onion
1 cup uncooked regular rice (not precooked)
1 teaspoon Morton Lite Salt mixture

1 teaspoon sugar
1 teaspoon grated orange peel
1 cup orange juice
1 cup water
2 oranges, peeled and cut into bite-size pieces (1 cup)
½ cup slivered almonds, toasted
Minced fresh parsley

Heat margarine in saucepan. Add celery and onion and cook until soft. Add rice; cook, stirring frequently, until golden but not brown. Blend in salt, sugar, orange peel, orange juice and water; cover and bring to a boil. Stir once. Reduce heat and simmer, covered, for 20 to 25 minutes, or until tender. Add oranges and almonds; toss lightly to mix. Serve garnished with minced parsley. Makes 6 servings.

Per Serving

Calories	260	Sodium	198 mg.
Carbohydrate	38 Gm.	Potassium	548 mg.
Protein	4 Gm.	Cholesterol	0
Fat	11 Gm.		

SPANISH RICE

½ cup unsalted polyunsaturated margarine
1 cup chopped onion
¾ cup chopped green pepper
⅔ cup uncooked regular rice (not precooked)

½ teaspoon Morton Lite Salt mixture
4 tomatoes, peeled, seeded and quartered
1 bay leaf, crumbled
¼ teaspoon pepper

Melt margarine in medium saucepan. Add other ingredients and mix well. Turn into a 2-quart casserole. Cover. Bake, stirring occasionally, at 350° for about 1½ hours, or until rice is tender. Makes 6 servings.

Per Serving

Calories	280	Sodium	106 mg.
Carbohydrate	30 Gm.	Potassium	570 mg.
Protein	4 Gm.	Cholesterol	0
Fat	17 Gm.		

TOMATO-BAKED BEANS

1 lb. navy (pea) beans
6 cups water
1 small bay leaf
1 can (1 lb.) tomatoes, cut up
½ cup sugar
½ cup chopped onion

1 teaspoon dry mustard
1½ teaspoons Morton Lite Salt mixture
¼ teaspoon pepper
¼ cup unsalted polyunsaturated margarine

Wash and pick over beans. Place them in a saucepan with water and bay leaf. Cover and cook gently until almost tender, about 1¾ hours. Drain, reserving 1½ cups of bean liquid. (If necessary, add water to make 1½ cups.) Grease a 2-quart casserole. In it place cooked beans, bean liquid, tomatoes, sugar, chopped onion, mustard, salt and pepper. Mix well. Dot with margarine. Bake at 325° for 3 hours, or until glazed and very tender. Makes 6 servings.

Per Serving

Calories	410	Sodium	379 mg.
Carbohydrate	65 Gm.	Potassium	150 mg.
Protein	20 Gm.	Cholesterol	0
Fat	10 Gm.		

SOYBEAN BAKE

1½ cups dry soybeans
2 tablespoons unsalted polyunsaturated margarine
½ cup chopped onion
1 teaspoon Morton Lite Salt
mixture

¼ teaspoon pepper
¼ cup catsup or Sweet Catsup
Sauce (page 95)
¼ cup dark molasses
1 tablespoon dry mustard

Wash soybeans. In saucepan, soak soybeans overnight in water to barely cover. Next day, bring to a boil, cover and simmer until nearly tender (about 3 hours). Toward the end of the cooking period, heat margarine in medium skillet. Add onion and cook over medium heat, stirring, until soft. Season with salt and pepper. Combine cooked beans, onion, catsup, molasses and mustard. Place in 2-quart casserole or bean pot. Bake at 325° for 1 hour, or until done. Cover, but lift lid several times during baking to allow excess liquid to evaporate. Makes 2 quarts.

Per 1 Cup Serving

Calories	213	Sodium	236 mg.
Carbohydrate	17 Gm.	Potassium	458 mg.
Protein	13 Gm.	Cholesterol	0
Fat	10 Gm.		

CHAPTER 9

DESSERTS

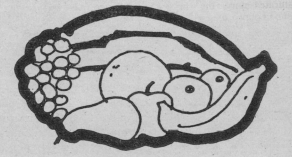

CHAPTER 9

DESSERTS

If we all were models of perfection, only the thinnest of us would eat any dessert except fruit. Desserts as we know them share a common drawback: they are high in calories and therefore must be carefully selected.

If you are fighting the battle of the bulge, be wary. Serve fruit desserts as often as possible, milk desserts next most frequently, and only occasionally plan on cookies, pies and cakes.

Each of the recipes in this chapter is thoughtfully selected and tested to solve a problem.

Margarine or oil is used instead of shortening in most cases, since this is one technique for reducing saturated fat content. And eggs are few and far between, since yolks contain cholesterol. (Remember, however, egg whites are cholesterol-free and are good protein food.)

You'll find lots of satisfying sweets in the pages ahead. Sweet fruit, temptingly hot, is particularly appealing when the thermometer plunges and chill winds blow. When possible, bake dessert with the meat course to save energy.

APPLE BROWN BETTY

¼ cup melted unsalted polyunsaturated margarine
1½ cups day-old bread cubes
4 to 5 cups sliced tart apples
¾ cup brown sugar

1 teaspoon cinnamon
¼ teaspoon Morton Lite Salt
 mixture
2 tablespoons lemon juice
⅓ cup water

Mix melted margarine with bread cubes. Combine the apples with sugar, cinnamon and salt. Place one-third of the bread cubes in the bottom of a greased 2-quart casserole. Cover with half the apples. Repeat, then top that layer with last third of bread cubes. Combine lemon juice and water and pour over all. Cover. Bake at 350° for 30 minutes. Uncover; bake 30 minutes more. Makes 6 servings.

Per Serving

Calories	240	Sodium	55 mg.
Carbohydrate	54 Gm.	Potassium	250 mg.
Protein	2 Gm.	Cholesterol	0
Fat	4 Gm.		

APPLE CRISP

6 to 7 tart apples (about 2 lbs.)
2 tablespoons lemon juice
1 tablespoon grated lemon peel
1 cup sugar

¾ cup flour
⅓ cup chopped pecans
1 tablespoon cinnamon
¼ cup unsalted polyunsaturated margarine

Peel, core and slice apples. Place half the slices in a 9-inch-square pan; sprinkle with half the lemon juice and half the peel. Combine remaining ingredients, mixing thoroughly. Sprinkle half over apples. Repeat layers, ending with sugar-flour mixture. Bake at 375° for 35 minutes. Increase temperature to 400° and bake 10 minutes more. Makes 9 servings.

Per Serving

Calories	265	Sodium	3 mg.
Carbohydrate	48 Gm.	Potassium	244 mg.
Protein	2 Gm.	Cholesterol	0
Fat	9 Gm.		

EASY APPLE-NOODLE BAKE

6 oz. wide egg noodles (about 3 cups)
1 tablespoon Morton Lite Salt mixture
3 to 4 quarts boiling water
¼ cup unsalted polyunsaturated margarine, softened
¼ cup granulated sugar
¼ cup orange juice

1 can (21 oz.) apple pie filling
1 medium apple, sliced
¼ cup dark seedless raisins
¼ cup golden raisins
¾ cup corn flakes, crushed, or ¼ cup corn flake crumbs
¼ cup firmly packed light brown sugar

Gradually add noodles and salt to rapidly boiling water so that water continues to boil. Cook, uncovered, stirring occasionally, until tender. Drain in colander. Add margarine to hot noodles and toss until melted. Add all remaining ingredients except corn flakes and brown sugar; toss gently until combined. Turn mixture into shallow 1½-quart casserole. Mix crushed corn flakes and brown sugar; sprinkle over surface of pudding. Bake uncovered at 350° for 35 to 40 minutes, or until apples are tender. Serve warm. Makes 6 servings.

Per Serving

Calories	397	Sodium	224 mg.
Carbohydrate	66 Gm.	Potassium	867 mg.
Protein	6 Gm.	Cholesterol	110 mg.
Fat	13 Gm.		

BROILED BANANAS IN SOUR CREAM

4 firm bananas
⅔ cup dairy sour cream

⅓ cup brown sugar

Peel bananas and cut in half lengthwise. Place in a shallow baking dish. Spoon sour cream over bananas. Sprinkle with brown sugar. Place under broiler. Broil for 3 to 5 minutes, until bananas are just tender. Makes 4 servings.

Per Serving

Calories	244	Sodium	8 mg.
Carbohydrate	61 Gm.	Potassium	450 mg.
Protein	2 Gm.	Cholesterol	3 mg.
Fat	1 Gm.		

MAPLE-BAKED PEARS

3 large, firm, fresh pears,
    pared, halved and cored
2 tablespoons lemon juice

2 tablespoons unsalted polyun-
    saturated margarine
6 tablespoons maple syrup
½ cup boiling water

Brush pears with lemon juice. Arrange in a shallow baking dish. Place 1 teaspoon of margarine and 1½ teaspoons of maple syrup in each pear half. Mix remaining 3 tablespoons of syrup with water and pour into bottom of dish. Bake at 400° for 1 hour, or until tender, basting occasionally with pan liquid. Makes 6 servings.

Per Serving

Calories	119	Sodium	6 mg.
Carbohydrate	21 Gm.	Potassium	125 mg.
Protein	trace	Cholesterol	0
Fat	4 Gm.		

BANANAS AFLAME

¼ cup unsalted polyunsatu-
    rated margarine
½ cup light brown sugar
1 tablespoon lemon juice

4 green-tipped bananas, peeled
    and halved lengthwise
⅓ cup Cointreau

Melt margarine in blazer pan of chafing dish. Stir in brown sugar; heat until well blended. Sprinkle lemon juice over bananas; add bananas to margarine–sugar mixture. Continue to cook, carefully turning bananas until they are glazed and softened (3 to 5 minutes). Pour Cointreau evenly over bananas. Bring to a boil. Ignite with long match. Serve after flames die. Makes 4 servings.

Per Serving

Calories	373	Sodium	10 mg.
Carbohydrate	69 Gm.	Potassium	375 mg.
Protein	2 Gm.	Cholesterol	0
Fat	13 Gm.		

CHERRY COBBLER

1 can (1 lb.) red sour cherries packed in water
½ cup sugar
1 tablespoon cornstarch
2 teaspoons unsalted polyunsaturated margarine

1 teaspoon lemon juice
3 drops red food coloring

* * *

1 recipe Cobbler Dough (below)

Drain cherries, reserving ¾ cup of juice. In a small saucepan over medium heat, mix together sugar, cornstarch and cherry juice until smooth. Bring to a boil, stirring constantly, and boil for 1 minute. Stir in margarine, lemon juice and food coloring. Remove from heat. Add cherries. Pour into baking dish approximately 10″ × 6″ × 1¾″. Drop Cobbler Dough by teaspoonsful onto hot cherry mixture. Bake at 400° for 20 minutes. Makes 8 servings.

Cobbler Dough:
1 cup sifted flour
1 tablespoon sugar
2 teaspoons baking powder
¼ teaspoon Morton Lite Salt mixture

¼ teaspoon nutmeg
¼ cup vegetable oil
⅓ cup milk

Sift together flour, sugar, baking powder, salt and nutmeg into medium bowl. Stir in oil. Add milk and mix well.

Per Serving

Calories	208	Sodium	166 mg.
Carbohydrate	31 Gm.	Potassium	150 mg.
Protein	2 Gm.	Cholesterol	1 mg.
Fat	9 Gm.		

MERINGUED PEARS

2 cans (16 oz. each) pear halves
⅓ cup pear syrup
3 tablespoons brown sugar
1 teaspoon grated lemon peel
½ teaspoon nutmeg

2 egg whites
Dash Morton Lite Salt mixture
2 tablespoons confectioners' sugar
2 tablespoons chopped almonds

Drain pears, reserving syrup. Place pear halves, cut side up, in 10-inch baking dish or pie pan. Pour ⅓ cup of pear syrup over bottom of pan. Combine brown sugar, lemon peel and nutmeg. Sprinkle this mixture evenly over pear halves. Beat egg whites and salt until almost stiff. Gradually add confectioners' sugar, continuing to beat until stiff. Pile meringue evenly over pear halves. Sprinkle meringue with chopped almonds. Bake at 325° for 15 to 20 minutes. Serve warm. Makes 8 servings.

Per Serving

Calories	120	Sodium	48 mg.
Carbohydrate	28 Gm.	Potassium	200 mg.
Protein	1 Gm.	Cholesterol	0
Fat	0		

A cold fruit dessert seems just right when the main course has been a bit heavy or rich. Many require little preparation time. For additional advice on fruits, consult the chapter on salads.

BANANA FRUIT CUPS

This recipe calls for a combination of fresh and/or canned fruits, dressed with a flavorful sugar syrup. Make the syrup in advance and combine the fruits with the syrup just before serving. Try sliced bananas with a choice of:
    Red grapes, cubed pears
    Cubed avocado, whole cranberry sauce
    Mandarin orange sections, green grapes
    Grapefruit and orange sections
    Pineapple chunks, cubed apple
    Apricot halves, green grapes

The flavored syrups which follow call for this recipe as an ingredient:

SIMPLE SYRUP

1½ cups sugar   2 cups water

In a saucepan, combine sugar and water and bring to a boil, stirring constantly. Reduce heat and simmer for 5 minutes. Cool. Makes 3 cups.

Per Recipe

Calories	1155	Sodium	0
Carbohydrate	298 Gm.	Potassium	0
Protein	0	Cholesterol	0
Fat	0		

ORANGE RUM SYRUP

1½ cups Simple Syrup   ¼ cup orange juice
¼ teaspoon grated orange   2 tablespoons lime juice
   peel   1 teaspoon rum

Mix and chill. Makes 2 cups.

Per Serving

Calories	1221	Sodium	2 mg.
Carbohydrate	311 Gm.	Potassium	250 mg.
Protein	1 Gm.	Cholesterol	0
Fat	trace		

LIME-LEMON SYRUP

1½ cups Simple Syrup   4 teaspoons lemon juice
2 tablespoons lime juice   Pinch of Morton Lite Salt mixture

Mix and chill. Makes 1⅔ cups.

Per Recipe

Calories	1168	Sodium	133 mg.
Carbohydrate	303 Gm.	Potassium	180 mg.
Protein	trace	Cholesterol	0
Fat	0		

SPIRITED SYRUP

1½ cups Simple Syrup

2 tablespoons green crème de menthe, cream sherry or brandy

Mix and chill. Makes 1⅔ cups.

Per Recipe

Calories	1238	Sodium	1 mg.
Carbohydrate	306 Gm.	Potassium	0
Protein	0	Cholesterol	0
Fat	0		

BANANA MERINGUES

First prepare the meringues:
4 egg whites
⅛ teaspoon Morton Lite Salt mixture
¼ teaspoon cream of tartar

1 cup sugar
½ teaspoon vanilla
1 tablespoon grated orange peel

In large bowl, beat egg whites, salt and cream of tartar until foamy. Gradually beat in sugar, 1 tablespoon at a time, and continue beating until stiff peaks form when beater is withdrawn. Fold in vanilla and orange peel. Spoon 6 mounds onto greased baking sheet and make a depression in center of each mound. Bake at 225° for 45 minutes, or until lightly browned. Remove and cool. Several hours before serving, prepare:

Orange-Banana Filling:
3 tablespoons cornstarch
⅓ cup sugar
¼ teaspoon Morton Lite Salt mixture

1 cup water
¾ cup orange juice
1 teaspoon grated orange peel
3 bananas

In medium saucepan, mix cornstarch, sugar and salt. Gradually stir in water and orange juice. Place over low heat; stir constantly until mixture thickens and comes to a boil. Simmer for 1 minute, continuing to stir. Remove from heat; stir in orange peel. Cool. Peel bananas; slice. Fold in. Chill about 3 hours. Makes 6 servings.

Per Serving

Calories	139	Sodium	53 mg.
Carbohydrate	33 Gm.	Potassium	321 mg.
Protein	2 Gm.	Cholesterol	0
Fat	0		

HONEYDEW TROPICALE

3 cups honeydew melon balls
2 cups fresh orange sections
6 tablespoons lemon juice

2 tablespoons lime juice
¼ cup sugar

In a large bowl, mix honeydew and oranges. Combine lemon and lime juices with sugar; pour over fruit. Cover and chill. Serve in sherbet glasses. Makes 6 servings.

Per Serving

Calories	48	Sodium	7 mg.
Carbohydrate	12 Gm.	Potassium	341 mg.
Protein	trace	Cholesterol	0
Fat	trace		

Gelatin desserts can be prepared early in the day or even the night before you plan to serve them. Always cool and refreshing, they can also present the food values of fruit in a different way.

MOLDED SUMMER FRUIT

2 envelopes unflavored gelatin
⅔ cup sugar
⅛ teaspoon Morton Lite Salt mixture
2¾ cups cold water

½ cup lime or lemon juice
4 cups mixed fresh fruit (peach slices, halved white grapes, watermelon pieces and cantaloupe balls)

Mix together gelatin, sugar and salt in saucepan. Stir in 1 cup of the water. Place over low heat; stir constantly until gelatin and sugar are dissolved (4 to 5 minutes). Remove from heat. Add remaining 1¾ cups of water, and lime or lemon juice. Arrange a small amount of the fruit in the bottom of the mold to form a design. Spoon on just enough of the gelatin mixture to cover bottom of mold; chill until almost firm. Chill remaining gelatin mixture until it is the consistency of unbeaten egg white; fold in remaining fruit. Spoon on top of almost firm layer; chill until firm. Unmold. Makes 10 servings.

Per Serving

Calories	91	Sodium	20 mg.
Carbohydrate	19 Gm.	Potassium	115 mg.
Protein	4 Gm.	Cholesterol	0
Fat	trace		

FRUIT JUICE SNOW

1 envelope unflavored gelatin
½ cup sugar
⅛ teaspoon Morton Lite Salt mixture
1¼ cups water

1 can (6 oz.) frozen fruit concentrate of choice (except pineapple juice)
2 egg whites

In a small saucepan, thoroughly mix gelatin, sugar and salt. Add ½ cup of the water. Place over low heat, stirring constantly until gelatin is dissolved. Remove from heat and stir in remaining ¾ cup of water and the fruit juice concentrate. Stir until melted. Chill until slightly thicker than the consistency of unbeaten egg white. Turn into small bowl of electric mixer. Add unbeaten egg whites and beat until mixture begins to hold its shape. (Or you may use rotary beater, beating until mixture is light and fluffy—about 7 minutes. Hand beating will go faster if bowl is placed in a large bowl of ice and water.) Spoon into dessert dishes and chill until firm. Serve plain or with Melba Sauce (page 196). Makes 8 servings.

Per Serving

Calories	76	Sodium	30 mg.
Carbohydrate	17 Gm.	Potassium	208 mg.
Protein	2 Gm.	Cholesterol	0
Fat	trace		

STRAWBERRY SNOW

1 envelope unflavored gelatin
½ cup cold water
1 package (10 oz.) frozen strawberries, thawed
½ cup sugar

⅛ teaspoon Morton Lite Salt mixture
1 teaspoon grated lemon peel
1 teaspoon lemon juice
2 egg whites

Sprinkle gelatin over cold water in saucepan. Place over low heat; stir constantly until gelatin dissolves (about 3 minutes). Remove from heat. Purée strawberries in electric blender or by rubbing through a sieve. Add to dissolved gelatin with sugar, salt, lemon peel and juice. Chill, stirring occasionally until mixture mounds slightly when dropped from a spoon. Add to unbeaten egg whites in chilled bowl and beat at high speed of electric mixer until mixture is light and fluffy and mounds when beater is lifted (7 to 10 minutes). Turn into 1-quart bowl or mold or into individual dessert dishes. Chill until set (2 or 3 hours). Makes 10 servings.

Per Serving

Calories	70	Sodium	24 mg.
Carbohydrate	16 Gm.	Potassium	52 mg.
Protein	1 Gm.	Cholesterol	0
Fat	trace		

PINEAPPLE WHIP

1 envelope unflavored gelatin
⅓ cup sugar
⅛ teaspoon Morton Lite Salt mixture

1¾ cups canned pineapple juice
½ teaspoon grated lemon peel

Mix gelatin, sugar and salt thoroughly in a small saucepan. Add ½ cup of the pineapple juice. Place over low heat, stirring constantly, until gelatin is dissolved. Remove from heat and stir in remaining pineapple juice and lemon peel. Chill until slightly thicker than the consistency of unbeaten egg white. Beat with a rotary beater or electric mixer until light and fluffy and double in volume. Spoon into dessert dishes and chill until firm. Makes 6 servings.

Pineapple Whip: Per Serving

Calories	83	Sodium	25 mg.
Carbohydrate	19 Gm.	Potassium	160 mg.
Protein	2 Gm.	Cholesterol	0
Fat	trace		

Orange Whip: Use orange juice instead of pineapple juice.
Apricot Whip: Instead of pineapple juice, use 1½ cups of apricot nectar and ¼ cup of water.
Coffee Whip: Substitute 1⅔ cups of cold strong coffee for the pineapple juice. Omit the lemon peel and stir in 1 teaspoon of vanilla with the second addition of coffee.

Orange Whip: Per Serving

Calories	80	Sodium	24 mg.
Carbohydrate	18 Gm.	Potassium	177 mg.
Protein	2 Gm.	Cholesterol	0
Fat	0		

Apricot Whip: Per Serving

Calories	89	Sodium	24 mg.
Carbohydrate	21 Gm.	Potassium	116 mg.
Protein	2 Gm.	Cholesterol	0
Fat	trace		

Coffee Whip: Per Serving

Calories	49	Sodium	25 mg.
Carbohydrate	11 Gm.	Potassium	52 mg.
Protein	2 Gm.	Cholesterol	0
Fat	trace		

SPICY APPLE SPONGE

1 envelope unflavored gelatin
¼ cup cold water
1 cup very hot orange juice
1½ teaspoons vanilla
¼ teaspoon mace
⅛ teaspoon Morton Lite Salt mixture

½ cup coarsely shredded peeled apple
1 tablespoon lemon juice
2 egg whites
2 tablespoons sugar

In a medium bowl, sprinkle gelatin over cold water and let stand to soften for 5 minutes. Stir in hot orange juice, mixing until gelatin is dissolved. Add vanilla, mace and salt. Chill until mixture is a little thicker than unbeaten egg whites. Beat until fluffy. Combine apple with lemon juice and fold in. Beat egg whites until soft peaks form. Gradually beat in sugar and beat until stiff peaks form when beater is withdrawn. Fold into apple mixture. Spoon into dessert dishes. Chill about 3 hours, serve cold. Makes 6 servings.

Per Serving

Calories	55	Sodium	41 mg.
Carbohydrate	11 Gm.	Potassium	138 mg.
Protein	3 Gm.	Cholesterol	0
Fat	trace		

You don't need an ice cream freezer to make this sherbet—just your food freezer and a rotary beater.

BUTTERMILK LEMON SHERBET

1 quart buttermilk
1 tablespoon grated lemon peel
¼ cup lemon juice

⅓ cup sugar
1½ cups light corn syrup

Turn buttermilk into large mixing bowl. Add remaining ingredients and stir until well blended. Pour into freezing tray or loaf pan. Freeze quickly until mixture is a mush (about 1 hour). Meantime, chill the mixing bowl. Turn mixture into chilled bowl and beat with rotary beater until smooth. Return to tray and freeze until firm (about 3 hours). Makes about 1 quart.

Per ½ Cup Serving

Calories	365	Sodium	215 mg.
Carbohydrate	64 Gm.	Potassium	150 mg
Protein	8 Gm.	Cholesterol	6 mg.
Fat	0		

Fruit sauces dress up simple puddings and cakes.

WARM LEMON SAUCE

¾ cup sugar
2 tablespoons cornstarch
¼ teaspoon Morton Lite Salt mixture
⅛ teaspoon nutmeg
⅓ cup lemon juice

2 tablespoons unsalted polyunsaturated margarine
1½ cups boiling water
Few drops yellow food coloring
2 teaspoons grated lemon peel

In saucepan, combine sugar, cornstarch, salt and nutmeg; gradually add lemon juice, stirring until smooth. Add margarine and boiling water. Bring to a boil over medium heat, stirring constantly. Boil for 2 minutes. Stir in food coloring, then lemon peel. Serve warm. Makes 2 cups.

Per Recipe

Calories	871	Sodium	279 mg.
Carbohydrate	170 Gm.	Potassium	350 mg.
Protein	trace	Cholesterol	0
Fat	25 Gm.		

CALIFORNIA ORANGE SAUCE

½ cup sugar
3 tablespoons cornstarch
¼ teaspoon Morton Lite Salt mixture
1 cup orange juice
1 cup boiling water

1 tablespoon grated orange peel
2 large oranges, peeled, cut into bite-size pieces and well drained (about 3⅓ cups)

In a saucepan, combine sugar, cornstarch and salt; gradually add orange juice, stirring until smooth. Add boiling water; bring to a boil over medium heat, stirring constantly. Boil for 2 to 3 minutes; stir in orange peel and orange pieces. Good warm or cool. Makes 2⅓ cups.

Per Recipe

Calories	702	Sodium	279 mg.
Carbohydrate	178 Gm.	Potassium	1600 mg.
Protein	5 Gm.	Cholesterol	0
Fat	1 Gm.		

MELBA SAUCE

1 package (10 oz.) frozen raspberries, thawed
½ cup currant jelly

2 teaspoons cornstarch
1 tablespoon cold water

Combine raspberries and jelly in saucepan; boil over medium heat. Blend cornstarch with cold water, add to raspberries. Continue cooking, stirring constantly, until mixture is clear. Makes 1½ cups.

Per Recipe

Calories	419	Sodium	6 mg.
Carbohydrate	104 Gm.	Potassium	300 mg.
Protein	4 Gm.	Cholesterol	0
Fat	trace		

AUSTRIAN CRESCENTS

1 cup walnuts
1 cup unsalted polyunsaturated margarine, softened
¾ cup sugar

1 teaspoon cinnamon
2 teaspoons vanilla
2½ cups sifted flour
1 cup sifted confectioners' sugar

Grind walnuts fine in an electric blender or food grinder. Combine the ground walnuts, margarine, sugar, cinnamon and vanilla; mix well. Add flour and blend into a smooth dough. Wrap dough in foil or plastic film and chill about 3 hours, or until firm. Using a rounded teaspoonful for each cookie, shape dough into crescents. Place on ungreased cookie sheets. Bake at 350° for 15 minutes, or until pale gold. Cool slightly. Gently dip into confectioners' sugar. Cool on racks. Makes about 5 dozen.

Per Crescent

Calories	77	Sodium	trace
Carbohydrates	9 Gm.	Potassium	10 mg.
Protein	trace	Cholesterol	0
Fat	4 Gm.		

ALMOND SQUARES

¾ cup unsalted polyunsaturated margarine, softened
½ cup sugar
2 cups sifted flour

1 tablespoon grated blanched almonds
½ teaspoon Morton Lite Salt mixture
¼ cup blanched whole almonds

Beat together margarine and sugar until blended. Add flour, grated almonds and salt; mix until smooth. Press into a rectangle about 14″ × 6″ × ¼″ on an ungreased baking sheet. Arrange whole almonds in rows over top. Bake at 325° for 30 minutes. Remove from oven and cut into 2″ × 2″ pieces. Makes 21 squares.

Per Square

Calories	122	Sodium	27 mg.
Carbohydrate	13 Gm.	Potassium	69 mg.
Protein	1 Gm.	Cholesterol	0
Fat	7 Gm.		

This do-ahead dessert, although made of simple foods, is a good one to serve at parties.

VANILLA TRIFLE

2 packages (4 servings each) vanilla pudding and pie-filling mix
1 quart milk
2 tablespoons sugar
1 tablespoon vanilla
1 package (3 oz.) ladyfingers
⅓ cup strawberry preserves
½ cup macaroon or vanilla wafer crumbs

In a medium saucepan, combine pudding mix, milk and sugar; mix well. Cook over medium heat, stirring constantly until mixture thickens and comes to a boil. Cool. Stir in vanilla. Split ladyfingers. Fill with preserves and put together again. In a 2-quart serving dish, place a layer of one-fourth of the ladyfingers, cookie crumbs and pudding. Repeat three times, ending with pudding. Refrigerate for 3 hours. Garnish with additional dots of strawberry preserves. Makes 10 servings.

Per Serving

Calories	222	Sodium	143 mg.
Carbohydrate	40 Gm.	Potassium	202 mg.
Protein	5 Gm.	Cholesterol	51 mg.
Fat	5 Gm.		

OATMEAL DROP COOKIES

2 cups sifted flour
1¼ cups sugar
1 teaspoon baking powder
1 teaspoon Morton Lite Salt mixture
1 teaspoon cinnamon
½ teaspoon baking soda
3 cups old-fashioned or quick-cooking oatmeal
1 cup raisins
1 cup vegetable oil
2 eggs
½ cup milk

In a large bowl, stir together flour, sugar, baking powder, salt, cinnamon and baking soda. Mix in oatmeal and raisins. Add oil, eggs and milk, stirring until thoroughly blended. Drop by teaspoonsful 1½ inches apart onto ungreased baking sheet. Bake at 400° for 10 to 12 minutes, or until browned. Makes about 6 dozen.

Calories	77	Sodium	19 mg.
Carbohydrate	10 Gm.	Potassium	34 mg.
Protein	1 Gm.	Cholesterol	8 mg.
Fat	4 Gm.		

OATMEAL FUDGE COOKIES

2 cups sugar
½ cup cocoa powder
½ cup unsalted polyunsaturated margarine
½ cup milk
½ teaspoon Morton Lite Salt mixture

3 cups quick-cooking oatmeal
1 cup chopped walnuts
1 teaspoon cinnamon
½ teaspoon nutmeg
1 teaspoon vanilla
2 eggs, beaten

In a large saucepan, combine sugar, cocoa, margarine, milk and salt; mix well. Stir and cook over medium heat for 3 to 4 minutes. Remove from heat and stir in oatmeal, walnuts, cinnamon, nutmeg and vanilla; mix well. Blend in eggs. Drop by teaspoonsful, 2 inches apart, onto lightly greased cookie sheets. Bake at 350° for 15 minutes. Immediately remove from cookie sheets to wire cooling racks. Makes about 6 dozen.

Per Cookie

Calories	61	Sodium	11 mg.
Carbohydrate	8 Gm.	Potassium	51 mg.
Protein	1 Gm.	Cholesterol	8 mg.
Fat	3 Gm.		

BUTTERSCOTCH BROWNIES

1 cup dark brown sugar
¼ cup vegetable oil
1 egg
½ cup chopped nuts
1 teaspoon vanilla

¾ cup unsifted flour
1 teaspoon baking powder
½ teaspoon Morton Lite Salt mixture

Grease an 8-inch-square baking pan. In a large bowl, stir together brown sugar, oil and egg until smooth. Mix in nuts and vanilla. Mix together flour, baking powder and salt. Add to oil mixture, mixing well. Turn into prepared pan and spread evenly. Bake at 350° for 25 minutes, or until browned. Cut into squares while warm. Makes 16.

Per Serving

Calories	158	Sodium	42 mg.
Carbohydrate	16 Gm.	Potassium	116 mg.
Protein	2 Gm.	Cholesterol	17 mg.
Fat	10 Gm.		

DATE AND NUT BARS

¾ cup sifted flour
1 cup sugar
¼ teaspoon baking powder
⅛ teaspoon Morton Lite Salt mixture
½ cup vegetable oil

2 eggs
½ teaspoon vanilla
1 cup firmly packed finely cut dates
1 cup chopped nuts

Grease an 8- or 9-inch-square baking pan. Sift together flour, sugar, baking powder and salt into mixing bowl. Make a well in the center. Add oil, eggs and vanilla; beat until smooth. Mix in dates and nuts. Turn into baking pan. Bake at 350° for 35 to 40 minutes, or until lightly browned. Cut into bars while still warm. Makes 24.

Per Serving

Calories	147	Sodium	11 mg.
Carbohydrate	17 Gm.	Potassium	187 mg.
Protein	2 Gm.	Cholesterol	23 mg.
Fat	8 Gm.		

CHOCOLATE POPCORN BALLS

1¼ cups sugar
¾ cup light corn syrup
½ cup cocoa powder
2 teaspoons cider vinegar
⅛ teaspoon Morton Lite Salt mixture

2 tablespoons unsalted polyunsaturated margarine
¼ cup evaporated milk
2 quarts unsalted popped corn

In a heavy saucepan, combine sugar, syrup, cocoa powder, vinegar and salt. Add margarine; cook slowly, stirring constantly, until the sugar dissolves. Bring to a boil; slowly add evaporated milk so boiling does not stop. Cook over low heat, stirring occasionally, until mixture reaches 250° on a candy thermometer. Drizzle over popped corn, mixing rapidly. Dip out large spoonfuls and shape into balls. (It helps to wet the hands or rub them lightly with margarine.) Makes ten 4-inch balls.

Per Serving

Calories	217	Sodium	28 mg.
Carbohydrate	50 Gm.	Potassium	130 mg.
Protein	1 Gm.	Cholesterol	trace
Fat	2 Gm.		

OIL PASTRY

For one-crust pie:
1⅓ cups sifted flour
½ teaspoon Morton Lite Salt mixture

⅓ cup vegetable oil
2 tablespoons cold water

In medium bowl, mix flour and salt. Mix in oil with fork. Sprinkle all the water on top; mix well. Press firmly into ball with hands. (Dough may need another tablespoon or two of vegetable oil.) Chill. Flatten dough slightly and roll out between 2 sheets of waxed paper to 12-inch circle. Peel off top paper; place in 9-inch pie pan, paper side up. Peel off paper and fit pastry loosely into pan. Flute edge. If shell is to be baked before filling, prick thoroughly and bake at 450° for 12 to 15 minutes, or until golden brown. If shell and filling are to be baked together, don't prick shell and follow baking directions with filling.

Two-crust pie:

2 cups sifted flour
1 teaspoon Morton Lite Salt
  mixture

½ cup vegetable oil
3 tablespoons cold water

Follow directions above to prepare dough. Divide dough almost in half. Flatten larger portion slightly. Follow directions above to roll out in waxed paper and fit into pie pan. Trim dough ½ inch beyond rim of pan. Roll out remaining dough for top crust. Peel off paper and cut slits to permit steam to escape during baking; place over filling. Trim ½ inch beyond rim of pan. Fold edges of both crusts under; seal and flute. Bake according to filling used.

Per Recipe

	One-Crust	Two-Crust
Calories	910	1304
Carbohydrate	111 Gm.	167 Gm.
Protein	15 Gm.	23 Gm.
Fat	43 Gm.	58 Gm.
Sodium	553 mg.	1104 mg.
Potassium	958 mg.	1680 mg.
Cholesterol	0	0

MARGARINE PASTRY NO. 1

2 cups unsifted flour
1 teaspoon Morton Lite Salt
  mixture

⅔ cup unsalted polyunsaturated margarine
7 to 9 tablespoons ice water

Measure flour and salt into bowl. Cut in margarine with pastry blender or 2 knives until mixture resembles coarse meal. Stir in ice water with fork; mix well. Divide dough almost in half, shaping into balls. On floured board, roll out larger ball for bottom crust, smaller ball for top. Bake as directed in recipe. Enough for 2-crust pie.

Per Recipe

Calories	1160	Sodium	1109 mg.
Carbohydrate	167 Gm.	Potassium	1800 mg.
Protein	23 Gm.	Cholesterol	0
Fat	43 Gm.		

202

MARGARINE PASTRY NO. 2

1⅓ cups sifted flour
⅛ teaspoon Morton Lite Salt mixture

½ cup unsalted polyunsaturated margarine
3 tablespoons cold water

Mix flour and salt. With pastry blender or 2 knives, cut in margarine until mixture is well blended and fine crumbs form. Sprinkle water over mixture while tossing to blend well. Press dough firmly into ball. Flatten slightly and roll out to 12-inch circle on lightly floured board. Fit loosely into 9-inch pie pan. Trim and flute edge. If shell is to be baked unfilled, prick all over with fork. Bake at 450° for 12 to 15 minutes, or until light golden brown. Cool. If shell is to be baked filled, follow directions with filling. Makes one 9-inch shell.

Per Recipe

Calories	550	Sodium	135 mg.
Carbohydrate	111 Gm.	Potassium	400 mg.
Protein	15 Gm.	Cholesterol	0
Fat	4 Gm.		

DEEP-DISH PEACH PIE

1 recipe Margarine Pastry No. 2 (see above)
3 lbs. peaches (12 medium) or nectarines
½ cup light brown sugar
3 tablespoons cornstarch

¼ teaspoon Morton Lite Salt mixture
½ cup light corn syrup
2 tablespoons unsalted polyunsaturated margarine

Prepare pastry as directed. Roll it out ¼ inch wider than a baking dish 10″ × 6″ × 2″, or a 1½-quart casserole. Pare and slice peaches. Combine brown sugar, cornstarch and salt; stir in corn syrup. Lightly toss with peaches. Turn into baking dish and dot with margarine. Place dough over peaches, letting it extend up the sides of the dish. Bake at 425° for 40 minutes, or until peaches are tender and crust is lightly browned. Makes 8 servings.

Per 1/7 Recipe

Calories	306	Sodium	64 mg.
Carbohydrate	66 Gm.	Potassium	614 mg.
Protein	3 Gm.	Cholesterol	0
Fat	4 Gm.		

CHERRY PIE

Pastry for two-crust pie:
2 cans (1 lb. each) red sour cherries packed in water
3 tablespoons cornstarch
⅔ cup sugar

½ teaspoon Morton Lite Salt mixture
2 tablespoons unsalted polyunsaturated margarine
1 teaspoon lemon juice
¼ teaspoon red food coloring

Prepare pastry. Roll out bottom crust, fitting into 9-inch pan. Allow 1 inch overhang. Roll out top crust and set aside. Drain cherries, reserving 1 cup of juice. In a saucepan, mix together cornstarch, sugar, salt and 1 cup of cherry juice until smooth. Place over medium heat and cook, stirring constantly, until mixture comes to a boil and boils 1 minute. Remove from heat. Stir in margarine, lemon juice, food coloring and cherries. Pour into pastry-lined pan. Cover with top crust. Seal and flute edge. Make several slits in top crust to permit escape of steam. Bake at 425° for 35 to 40 minutes, or until crust is golden brown. Makes one 9-inch pie.

Per 1/7 Recipe

Calories	331	Sodium	239 mg.
Carbohydrate	58 Gm.	Potassium	171 mg.
Protein	4 Gm.	Cholesterol	0
Fat	10 Gm.		

MAPLE APPLE PIE

Pastry for two-crust pie:
6 cups sliced pared apples
1 cup maple syrup
2 tablespoons flour
1 teaspoon cinnamon

½ teaspoon Morton Lite Salt mixture
2 tablespoons unsalted polyunsaturated margarine
Milk

Prepare pastry. Roll out bottom crust, fitting into 9-inch pan. Allow 1 inch overhang. Roll out top crust and set aside. Arrange apples into lined pie plate. Combine syrup, flour, cinnamon and salt. Pour over apples. Dot top with margarine. Cut slits in top crust to permit escape of steam.

Cover pie. Seal and flute edges. Brush pie with a little milk. Place pie pan on a cookie sheet in oven. Bake at 425° for about 50 minutes, or until nicely browned. Makes one 9-inch pie.

Per 1/7 Recipe

Calories	417	Sodium	248 mg.
Carbohydrate	79 Gm.	Potassium	343 mg.
Protein	4 Gm.	Cholesterol	0
Fat	11 Gm.		

HOME-STYLE PEAR PIE

Pastry for two-crust pie:
6 cups (6 medium) sliced pears
2 tablespoons lemon juice
¼ cup flour

¾ cup sugar
¼ teaspoon mace
¼ teaspoon cinnamon
2 tablespoons unsalted polyunsaturated margarine

Prepare pastry. Roll out bottom crust fitting into 9-inch pan. Allow 1 inch overhang. Roll out top crust and set aside. Core unpeeled pears and slice into eighths. Sprinkle with lemon juice, tossing to mix. Mix flour, sugar and spices. Toss with pears to coat lightly. Turn into pastry-lined pan. Dot with margarine. Make slits in top crust and cover pears. Seal and flute. Bake at 425° for 40 to 50 minutes, or until attractively browned. Good with Cheddar cheese. Makes one 9-inch pie.

Per 1/7 Recipe

Calories	439	Sodium	164 mg.
Carbohydrate	84 Gm.	Potassium	434 mg.
Protein	8 Gm.	Cholesterol	0
Fat	11 Gm.		

Pecan Pear Pie: If desired, sprinkle pear pie filling with ½ cup of chopped pecans before dotting with margarine.

Per 1/7 Recipe

Calories	500	Sodium	164 mg.
Carbohydrate	57 Gm.	Potassium	520 mg.
Protein	6 Gm.	Cholesterol	0
Fat	17 Gm.		

RHUBARB MERINGUE PIE

1 baked 9-inch pastry shell
1 quart sliced rhubarb (2 lbs.)
½ cup water
2 cups sugar
⅓ cup cornstarch

1 teaspoon grated lemon peel
1 tablespoon lemon juice
1 teaspoon cinnamon
¼ teaspoon nutmeg

Cool pastry shell. Combine rhubarb and ¼ cup of the water in large saucepan. Cover and cook over medium heat for 10 minutes, or until rhubarb is tender and begins to come apart in strings. In small saucepan, mix sugar and cornstarch; stir in remaining ¼ cup of water. Stir over low heat until sugar dissolves and mixture begins to thicken; stir this into cooked rhubarb. Cook together over medium heat, stirring constantly until mixture is very thick and boiling. Boil, continuing to stir, for 1 minute. Remove from heat. Stir in lemon peel, juice, cinnamon and nutmeg. Turn into baked shell.

To Prepare Meringue:

3 egg whites, room temperature
¼ teaspoon Morton Lite Salt mixture

1 teaspoon lemon juice
¾ cup sugar

Beat egg whites and salt until foamy. Add lemon juice. Gradually beat in sugar, about 2 tablespoons at a time, and continue beating until very stiff and glossy. Invert a paper cup in center of pie. Spread meringue over filling, sealing well at pastry edge and spreading to rim of paper cup. Remove cup to leave open center. Bake at 350° for 12 to 15 minutes until lightly browned. Cool well. Makes one 9-inch pie.

Per 1/7 Recipe

Calories	468	Sodium	82 mg.
Carbohydrate	101 Gm.	Potassium	471 mg.
Protein	4 Gm.	Cholesterol	0
Fat	7 Gm.		

LEMON CHIFFON PIE

1 baked 9-inch pastry shell
1 envelope unflavored gelatin
⅔ cup lemon or lime juice
⅓ cup water
2 tablespoons sugar
1 teaspoon grated lemon peel

Yellow food coloring (optional)
3 egg whites
¼ teaspoon Morton Lite Salt mixture
½ cup light corn syrup

In a small saucepan, sprinkle gelatin over lemon juice and water. Add sugar. Heat over very low heat, stirring just until gelatin and sugar are completely dissolved. Remove from heat; stir in lemon peel and food coloring. Chill until mixture is the consistency of unbeaten egg white. Beat egg whites and salt until soft peaks form when beater is raised. Gradually add corn syrup, beating until stiff peaks form. Fold chilled gelatin mixture into beaten egg whites. If mixture is thick enough to mound at this point, pile lightly into pastry shell. If too thin, chill, stirring occasionally, until thick enough to mound. Pile into pastry shell. (Mixture may also be served in sherbet glasses.) Chill. Makes 1 pie.

Per 1/7 Recipe

Calories	284	Sodium	82 mg.
Carbohydrate	35 Gm.	Potassium	200 mg.
Protein	5 Gm.	Cholesterol	0
Fat	14 Gm.		

Each of the cakes which follow can be recommended to those who are concerned about what they eat. Perhaps the best choice for any special diet is the angel food cake, since it contains no egg yolks and no leavening.

ANGEL FOOD CAKE

1 cup sifted cake flour
About 1½ cups sugar
1½ cups egg white (12)
1½ teaspoons cream of tartar

¼ teaspoon Morton Lite Salt mixture
1½ teaspoons vanilla
½ teaspoon almond flavoring

Into a sifter, measure sifted cake flour and ¾ cup of the sugar. Sift these together 3 times. Into large bowl of electric mixer, measure egg whites; add cream of tartar and

207

salt. Beat until foamy. While you beat, add remaining ¾ cup of sugar, 2 tablespoons at a time, and continue beating until the meringue holds stiff peaks. Fold in vanilla and almond. Gradually sift the flour-sugar mixture over the meringue, folding it in with a rubber spatula. Fold just until the flour-sugar mixture disappears. Push batter into ungreased tube pan, 10" × 4." Gently cut through batter with a knife. Bake at 375° until top springs back when lightly touched (about 35 to 40 minutes). Invert on a funnel. Let hang until cool. Makes one 10-inch tube cake.

Cherry Angel Food: Chop ½ cup of maraschino cherries and drain well on paper towel. Fold cherries into batter just before turning into tube pan.

Strawberry Glaze: Combine 2 cups of sifted confectioners' sugar, ⅛ teaspoon of Morton Lite Salt mixture, 2 teaspoons of lemon juice and ¼ cup of crushed fresh strawberries. Spread thinly over cake, letting it drip irregularly down sides.

Per 1/10 Cake

	Angel	Cherry Angel	With Strawberry Glaze
Calories	175	186	312
Carbohydrate	39 Gm.	41 Gm.	74 Gm.
Protein	5 Gm.	5 Gm.	5 Gm.
Fat	0	0	0
Sodium	84 mg.	84 mg.	98 mg.
Potassium	160 mg.	178 mg.	190 mg.
Cholesterol	0	0	0

YELLOW CAKE

2 cups sifted flour
2½ teaspoons baking powder
½ teaspoon Morton Lite Salt mixture
½ cup softened unsalted poly-unsaturated margarine

1 cup sugar
1 teaspoon vanilla
2 eggs
¾ cup milk

Sift flour, baking powder and salt together. Cream margarine with sugar and vanilla until light and fluffy. Add eggs, one at a time, beating well after each addition. Mix in sifted dry ingredients in 3 additions alternately with milk. Pour into 2 greased and floured 8-inch layer cake pans. Bake at 375° until cake springs back when lightly touched (20 to 25 minutes). Cool. Frost as desired. Makes two 8-inch layers.

Yellow Cake Square: Bake in 8″ × 8″ × 2″ square pan for 40 minutes.

Spice Cake: Follow recipe above but add to dry ingredients before sifting ½ teaspoon of cinnamon, ¼ teaspoon of nutmeg and ¼ teaspoon of allspice.

Per 1/10 Cake

Calories	273	Sodium	74 mg.
Carbohydrate	38 Gm.	Potassium	120 mg.
Protein	4 Gm.	Cholesterol	56 mg.
Fat	12 Gm.		

SILVER CAKE

3 cups sifted cake flour	¾ cup unsalted polyunsaturated margarine
1½ cups sugar	
4 teaspoons baking powder	¾ cup milk
1 teaspoon Morton Lite Salt mixture	4 egg whites
	1½ teaspoons vanilla

Grease and lightly flour 2 round layer cake pans 9″ × 1½″. Sift together flour, sugar, baking powder and salt. In large bowl of electric mixer, beat margarine enough to soften. Add flour mixture and ½ cup of the milk. Beat 2 minutes on medium speed of electric mixer. Add egg whites, vanilla and remaining ¼ cup of milk. Beat 1 minute with electric mixer. Pour into prepared pans. Bake at 375° for 25 to 30 minutes, or until cake springs back when lightly touched. Cool on wire rack. Makes two 9-inch layers.

Note: Batter may also be baked in rectangular baking pan 13″ × 9″ × 2″, or used to make 36 cupcakes.

Per 1/10 Cake

Calories	373	Sodium	341 mg.
Carbohydrate	55 Gm.	Potassium	221 mg.
Protein	43 Gm.	Cholesterol	2 mg.
Fat	16 Gm.		

APRICOT SKILLET CAKE

1 can (1 lb. 13 oz.) apricot
  halves
¼ cup dark corn syrup
½ cup softened unsalted polyunsaturated margarine
⅓ cup brown sugar
1⅓ cups sifted flour

½ cup sugar
2 teaspoons baking powder
½ teaspoon Morton Lite Salt
  mixture
2 eggs
1 teaspoon vanilla
1 tablespoon lemon juice

Drain apricot halves; reserve ½ cup of syrup. Blend corn syrup, ¼ cup of the margarine, and brown sugar in 10-inch skillet. Arrange apricot halves in mixture, cut side down. Bake at 375° for 15 minutes. Meanwhile sift flour, sugar, baking powder and salt together into mixing bowl. Beat eggs in another bowl. Melt remaining ¼ cup of margarine. Blend eggs, apricot syrup, vanilla and melted margarine. Stir into dry ingredients; beat until smooth. Sprinkle lemon juice over apricots in skillet. Pour batter evenly over top. Bake at 375° for 25 to 30 minutes, or until cake has shrunk from sides of pan and toothpick inserted in center comes out clean. Cool for 5 minutes. Loosen sides of cake with spatula. Place a round platter over pan and invert together. Makes 8 servings.

Per Serving

Calories	391	Sodium	90 mg.
Carbohydrate	64 Gm.	Potassium	225 mg.
Protein	4 Gm.	Cholesterol	68 mg.
Fat	14 Gm.		

APPLESAUCE CAKE

1 cup softened unsalted poly-unsaturated margarine
1¾ cups sugar
3 cups unsifted flour
½ teaspoon Morton Lite Salt mixture
2 teaspoons baking soda
1 teaspoon baking powder
2 teaspoons cinnamon
1 teaspoon cloves
1 jar (15 oz.) applesauce
1 cup raisins
1 cup chopped walnuts
4 egg whites

In bowl, cream together margarine and sugar. Sift together flour, salt, baking soda, baking powder, cinnamon and cloves. Add to margarine mixture alternately with applesauce. Beat in raisins and walnuts. Beat egg white until soft peaks form. Fold into cake batter. Turn batter into well-greased 10-inch tube pan. Bake at 350° for 1 hour and 20 to 30 minutes, or until cake tester inserted in center of cake comes out clean. Cool for 10 minutes. Loosen cake carefully with spatula on all edges. Remove from pan and cool completely. If desired, dust top with confectioners' sugar. Makes one 10-inch tube cake or 18 servings.

Per Serving

Calories	328	Sodium	45 mg.
Carbohydrate	46 Gm.	Potassium	188 mg.
Protein	3 Gm.	Cholesterol	0
Fat	13 Gm.		

WHITE MOUNTAIN FROSTING

½ cup sugar
¼ cup light corn syrup
2 tablespoons water

2 stiffly beaten egg whites
1 teaspoon vanilla

In a very small saucepan, mix sugar, corn syrup and water. Cover; heat to rolling boil over medium heat. Remove cover and boil rapidly to 242° on a candy thermometer, or until syrup spins a 6- to 8-inch thread. This heats very quickly; egg whites should be ready before cooking. When mixture begins to boil, pour hot syrup very slowly in a thin stream into the beaten egg whites, beating constantly with an electric mixer at medium speed or with a rotary beater. Beat at high speed until stiff peaks form. Stir in vanilla during last minute of beating. Enough for two 8- or 9-inch layers, or a rectangular cake 13" × 9" × 2".

Satiny Beige Frosting: Instead of ½ cup of granulated sugar, use ½ cup of brown sugar and decrease the vanilla to ½ teaspoon.

Mocha Frosting: Follow the recipe for Satiny Beige Frosting and, toward end of beating, stir in 1 teaspoon of instant coffee.

Per Recipe

Calories	652	Sodium	94 mg.
Carbohydrate	161 Gm.	Potassium	550 mg.
Protein	7 Gm.	Cholesterol	0
Fat	0		

Note: Variations have about the same nutrients as basic recipe.

CREAMY VANILLA FROSTING

⅓ cup unsalted polyunsaturated margarine, softened
3 cups sifted confectioners' sugar

About 2 tablespoons milk
1½ teaspoons vanilla

Beat margarine until creamy; gradually beat in sugar. Add only enough milk to bring to good spreading consistency. Stir in vanilla. Enough for two 8- or 9-inch layers or rectangular cake 13″ × 9″ × 2″.

Creamy Pineapple Frosting: Omit milk and vanilla. Instead stir in ⅓ cup of *well-drained*, canned crushed pineapple, blending well.

Creamy Orange (or Lemon) Frosting: Omit milk and vanilla. Add 1½ tablespoons of grated orange (or lemon) peel and about 3 tablespoons of orange (or lemon) juice.

Per Recipe

	Vanilla	Pineapple	Orange
Calories	2306	2346	2339
Carbohydrate	526 Gm.	539 Gm.	538 Gm.
Protein	1 Gm.	trace	trace
Fat	30 Gm.	29 Gm.	29 Gm.
Sodium	18 mg.	5 mg.	4 mg.
Potassium	40 mg.	130 mg.	140 mg.
Cholesterol	3 mg.	0	0

INDEX

218

Fine Products From
Morton Salt Company

Morton® Iodized and Plain Salt
Morton Lite Salt® mixture
Morton® Nature's Seasons® seasoning blend
Morton® Salt Substitute
Morton® Seasoned Salt Substitute
Morton® Salt and Pepper Shakers
Morton® Canning and Pickling Salt